M000314996

EL HOGAR ES IMPORTANTE

CINCO

FACTORES ESENCIALES PARA UNA INTIMIDAD QUE DURE TODA LA VIDA

DR. JAMES DOBSON

Publicado por
Editorial Unilit
Miami, Fl. 33172
Derechos reservados

© 2006 Editorial Unilit (Spanish translation)
Primera edición 2006

© 2005 por James Dobson, Inc.
Originalmente publicado en inglés con el título:
5 Essentials for Lifelong Intimacy por James C. Dobson.
Publicado por Multnomah Publishers, Inc.
601 N. Larch Street
Sisters, Oregon 97759 USA

Traducción: Raquel Monsalve
Revisión: Enfoque a la Familia

A menos que se indique lo contrario, las citas bíblicas se tomaron de la *Santa Biblia
Nueva Versión Internacional* © 1999 por la Sociedad Bíblica Internacional.
Las citas bíblicas señaladas on RV-60 se tomaron de la Santa Biblia, Versión Reina
Valera 1960 © 1960 por la Sociedad Bíblica en América Latina.
Las citas bíblicas señaladas con LBD se tomaron de la Santa Biblia, *La Biblia al Día*
© 1979 por la Sociedad Bíblica Internacional.

Producto 495417
ISBN 0-7899-1349-6
Impreso en Colombia
Printed in Colombia

Categoría: Vida cristiana/Relaciones/Amor y matrimonio
Category: Christian Living/Relationships/Love & Marriage

Contenido

Reconocimientos

Quiero darle las gracias a mi editor, Jim Lund, por su ayuda en la búsqueda, compilación y configuración del material en este libro. Una vez más, fue un placer trabajar con él.

Expreso mi agradecimiento también a todo el equipo de Multnomah por sus esfuerzos en hacer que este libro fuera una realidad.

Agradecimientos

Introducción

Nanette y Paul comenzaron su matrimonio con todas las esperanzas de éxito. Ambos disfrutaban las actividades al aire libre, en especial la equitación, y les encantaba viajar. Paul ya tenía un exitoso negocio de corretaje, así que se podían dar el lujo de tener una bella casa con frente al lago. Ambos querían tener hijos. Lo mejor de todo, disfrutaban mucho de la compañía mutua. Eran compañeros del alma y estaban muy enamorados. Parecía que nada podía salir mal.

Sin embargo, a medida que pasaban los años, *todo* comenzó a marchar mal. Aunque Nanette y Paul estaban encantados con el nacimiento de sus dos hijas, las demandas de la paternidad colocaron una tensión inesperada en su relación. Entonces el negocio de Paul comenzó a irle mal, y él pasaba cada vez más horas en la oficina. A fin de mantenerse al día con los pagos de la casa y de un bote nuevo, así como con el costo cada vez mayor de la crianza de sus hijas, Nanette se empleó como asistente de un dentista. Ella y Paul se veían cada vez menos, y cuando lo hacían, a menudo discutían.

Una noche lluviosa del mes de noviembre, durante una discusión muy acalorada, se confirmaron los peores temores de Nanette: Paul veía a otra mujer. Mientras las lágrimas le corrían por el rostro, Nanette recordó la intimidad que disfrutaron ella y Paul una vez. Se preguntó: *¿Cómo es posible que nuestro matrimonio llegara a esto?* Su relación, que una vez fuera ideal, ahora estaba hecha trizas. Menos de un año después, se divorciaron.

La historia de Nanette y de Paul es una historia común. De diez matrimonios en los Estados Unidos hoy, cinco terminarán en conflictos amargos y divorcio. Eso es trágico, ¿pero se ha preguntado que les pasa a los otros cinco? ¿Viajan hasta el ocaso de sus vidas felices para siempre? ¡Casi nunca!

De acuerdo con el psicólogo clínico Neil Warren, los cinco matrimonios «exitosos» estarán juntos durante toda la vida, pero en varios grados de falta de armonía. En un programa radial de Enfoque a la Familia, el doctor Warren citó la investigación que hizo el doctor John Cuber, cuyos hallazgos se publicaron en un libro titulado

The Significant Americans. Cuber descubrió que algunas parejas permanecerán casadas para beneficio de los hijos, mientras que otras pasarán los años en una cierta clase de apatía. Es increíble, pero sólo una o dos parejas de diez lograrán lo que puede llamarse «intimidad» en sus matrimonios.

Al hablar de *intimidad*, el doctor Cuber se refería al lazo místico de la amistad, la comprensión y el compromiso que casi desafía a la explicación. Ocurre cuando un hombre y una mujer que comenzaron como dos individuos singulares y distintos se fusionan en una sola unidad, que la Biblia llama «una sola carne». Estoy convencido de que el espíritu humano anhela esta clase de amor incondicional, y que sobre todo las mujeres experimentan algo similar a «hambre en el alma» cuando no lo pueden obtener. Estoy seguro de que la mayoría de las parejas esperan encontrar la intimidad en el matrimonio, pero de alguna forma esta intimidad los elude con frecuencia.

A pesar de desear tener una intimidad profunda del alma, muchas parejas hoy, incluyendo las ya casadas, también le *temen* a la intimidad. Han observado a amigos, y tal vez a sus propios padres, destrozarse el uno al otro y a sus matrimonios. Y esos hombres y mujeres temen ser vulnerables al rechazo y al abandono. Algunos se preguntan si la verdadera intimidad con otro ser humano es siquiera posible de obtener en nuestro mundo moderno.

Por fortuna, las parejas casadas no son únicamente víctimas pasivas en el drama que se desarrolla de sus vidas juntos. Ellos *pueden* edificar una relación estable, satisfactoria e íntima que soportará las tormentas de la vida. Ni el divorcio ni un matrimonio sin vida son inevitables. Después de la bendición de estar casado por más de cuarenta años con mi esposa, Shirley, puedo decir que no hay nada como que alguien nos ame de manera íntima e incondicional, década tras década, alguien que promete estar a nuestro lado en las buenas y en las malas, en salud o enfermedad, en riqueza o en pobreza, renunciando a todos los demás (sí, *a todos* los demás) hasta que la muerte nos separe. Una relación de alma a alma bajo la protección del matrimonio es un plan que lleva la sabiduría y la compasión del Creador mismo, y ofrece la mayor satisfacción de la experiencia humana.

Hay muchos recursos que lo pueden ayudar a unirse con amor a su cónyuge, pero por lo menos cinco factores son *esenciales* para disfrutar de una relación íntima para toda la vida. A medida que los exploramos juntos, incluyendo los consejos al final de cada capítulo, es mi oración que le proporcionen una nueva inspiración para renovar y profundizar la intimidad en su matrimonio.

El hogar centrado en Cristo

«Porque nadie puede poner un fundamento diferente del que ya está puesto, que es Jesucristo».

1 CORINTIOS 3:11

Hace algunos años, en un esfuerzo por aprender de las experiencias de las personas que han vivido en armonía como esposo y esposa, les pedimos a parejas casadas que participaran en un estudio informal. Más de seiscientas personas consintieron hablar con franqueza sobre los conceptos y los métodos que han tenido éxito en sus hogares durante treinta, cuarenta y hasta cincuenta años. Cada una escribió comentarios y recomendaciones, las cuales se analizaron y compararon con cuidado. Los consejos ofrecidos no son nuevos, pero de seguro que son un buen punto de partida. Cuando se intenta aprender cualquier tarea, deberíamos comenzar con las cosas básicas, esos pasos iniciales de los que se desarrollará todo lo demás.

¿Cuál, entonces, de acuerdo con nuestro avezado panel de expertos, es la clave más importante para disfrutar de un matrimonio exitoso, la *cosa* principal que con más probabilidad garantiza toda una vida de intimidad y amor?

La respuesta es establecer y mantener un hogar centrado en Cristo.

Cuando un esposo y una esposa están dedicados de manera profunda a Jesucristo, disfrutan de enormes ventajas comparados con una familia sin fundamento espiritual. Todo descansa en ese fundamento. Sólo mediante una conexión espiritual con Él logramos experimentar amor genuino y comenzar a satisfacer todo el potencial que tiene la relación que llamamos matrimonio.

Una vez recibí la siguiente carta:

Estimado doctor Dobson:

Mi esposo hace poco me dejó después de quince años de casados. Teníamos una relación física, emocional e intelectual fantástica. Aun así, algo faltaba [...] no teníamos un lazo espiritual entre nosotros.

Por favor, dígales a las parejas jóvenes que sin Cristo siempre habrá un vacío en sus vidas juntos. Un buen matrimonio debe tener su fundamento en Él a fin de experimentar amor, paz y gozo duraderos.

Desde que me abandonó mi esposo, he tratado de reedificar mi relación con Dios. Ahora estoy creciendo con paso seguro en mi caminar con el Señor, pero estoy sola.

Hay una gran verdad en esa triste carta. Al fin y al cabo, nuestro Señor fue el que creó el matrimonio, uno de los dones más maravillosos y perdurables que se le diera jamás a la humanidad.

Este plan divino se les reveló a Adán y Eva en el jardín del Edén, y luego se describió en forma breve en Génesis 2:24, donde leemos: «Por tanto, dejará el hombre a su padre y a su madre, y se unirá a su mujer, y serán una sola carne» (RV-60). Con esas veintitrés palabras, Dios anunció la fundación de la familia. Aunque han pasado cinco mil años de historia registrada, todas las civilizaciones en la historia del mundo se han construido sobre ella. Es una verdadera insensatez esperar a tener a tener un matrimonio amoroso e íntimo sin confiar en el Señor.

Es una verdadera **insensatez** esperar a tener un

matrimonio **amoroso** e **íntimo** sin confiar en el Señor.

En contraste, la pareja que depende de las Escrituras para las soluciones al estrés de la vida tiene una ventaja distintiva sobre la familia sin fe. Para la pareja que tiene fe, la Biblia que aman es el libro más maravilloso del mundo. Lo escribieron treinta y nueve autores que hablaban tres idiomas diferentes y vivieron en un período que se extendió mil quinientos años. ¡Qué maravillosa es la obra de esos escritores inspirados! Si dos o tres individuos hoy fueran testigos del robo de un banco, es posible que dieran informes contradictorios sobre el incidente. La percepción humana es así de imperfecta. Sin embargo, los treinta y nueve colaboradores de la Escritura, que en su mayoría no se conocieron nunca, prepararon sesenta y seis libros que encajan juntos en perfecta continuidad y simetría. Todo el Antiguo Testamento hace una declaración extraordinaria: «Jesús viene». Y el Nuevo Testamento declara: «¡Jesús está aquí!».

Al leer estas Santas Escrituras se nos da una ojeada dentro de la mente del Padre. ¡Qué recurso tan infalible! El Creador, que comenzó con nada e hizo las bellas montañas, los ríos, las nubes y los encantadores bebés, decidió darnos la revelación íntima sobre la familia. En su Palabra nos dice cómo vivir juntos en paz y armonía. Todo, desde la administración del dinero hasta las actitudes sexuales, se encuentra en las Escrituras, y cada precepto lleva la aprobación del Rey del universo. ¿Por qué querría alguien hacer caso omiso de las verdades reveladas allí?

La forma de vida cristiana le da estabilidad al matrimonio porque sus principios y valores producen armonía con naturalidad. Cuando se practica, la enseñanza cristiana enfatiza el dar a otros, la autodisciplina, la obediencia a los mandatos divinos, el cumplimiento de las leyes del hombre y el amor y la fidelidad entre el esposo y la esposa. Cuando funciona según su diseño, el matrimonio provee un escudo contra las adicciones al alcohol, la pornografía, los juegos de azar, el materialismo y otros comportamientos que podrían ser dañinos a la relación. ¿Debería sorprendernos que una relación centrada en Cristo sea la mejor base para un matrimonio?

Alexandr Solzhenitsin, el gran disidente soviético, una vez escribió: «Si me pidieran que hiciera una breve identificación de la característica principal de todo el siglo veinte, no sería capaz de encontrar nada más preciso y contundente que repetir una vez más: Los hombres se han olvidado de Dios».

No permita que esto suceda en su hogar.

Constantes en la oración

Si el compromiso con Cristo es la base de un matrimonio con éxito, la oración diaria juntos es la construcción firme, ladrillo a ladrillo, que provee un lugar seguro para la verdadera intimidad.

Así fue como les sucedió a mis padres. James Dobson, mi padre, fue pastor y evangelista casi toda su vida. A menudo pasaba largas horas de rodillas, hablando con Dios y orando por su ministerio y sus seres queridos. En la pequeña ciudad de Tejas donde pasé mis años preescolares, le conocían como «el hombre con zapatos sin puntera». ¡Pasaba tanto tiempo orando de rodillas que gastaba la puntera de sus zapatos antes de gastar la suela!

Sin embargo, papá no oraba siempre solo. Mi madre, su amada esposa a la que llamaba Myrt, se le unía con regularidad para orar en tiempos de crisis, durante períodos rutinarios de la vida, y en ocasiones para pedir ayuda y dirección a fin de tratar con un hijo revoltoso llamado Jim. Sus tiempos de oración juntos deben haber hecho una profunda impresión en mí desde muy temprano en mi infancia, porque me dicen que desde que tenía un año de edad trataba de orar con ellos. Todavía no había aprendido a hablar, así que imitaba los sonidos que hacían cuando se comunicaban con Dios.

No tengo duda de que el amor constante de mis padres por Jesucristo, renovado por sus conversaciones diarias con Él, a su vez cimentó su profundo afecto y respeto mutuos. Su vida de oración fue el pegamento que preservó su amorosa unión de cuarenta y tres años que duró hasta el momento en que mi padre dejó este mundo en 1977.

He tratado de seguir ese ejemplo en mi propio hogar. Las incontables veces que Shirley y yo nos hemos inclinado ante Dios para ofrecerle palabras de agradecimiento, peticiones de ayuda y expresiones de amor también han fortalecido nuestra relación en maneras que no pueden medirse. La oración ha sido *la* influencia estabilizadora de nuestra vida juntos.

Desde luego, algunas personas usan la oración de la misma forma en que leen sus horóscopos, tratando de manipular un «poder superior» no identificado. Uno de mis amigos admite en broma que dice una oración todos los días camino a su trabajo cuando pasa por la tienda de rosquillas. Sabe que no es sano comer esos pasteles grasosos, pero le gustan mucho. Por lo tanto, le pide permiso al Señor todos los días para darse ese gusto. Le dice: «Si es tu voluntad que hoy coma una rosquilla, que haya un espacio para estacionarme frente al edificio mientras doy la vuelta a la manzana». Si no hay un espacio disponible, da otra vuelta a la manzana y ora de nuevo.

Shirley y yo hemos tomado nuestra vida de oración con un poco más de seriedad. En tiempos buenos, en tiempos difíciles, en momentos de ansiedad y en períodos de alabanza, hemos disfrutado de este maravilloso privilegio de hablar sin intermediarios con nuestro Padre celestial. ¡Qué maravilla! No se necesita hacer una cita para entrar en su presencia. No tenemos que pasar por sus subordinados ni sobornar a sus secretarios. Simplemente está allí, cada vez que nos inclinamos ante Él. Algunos de los momentos más notables de mi vida han ocurrido en esas sesiones privadas en la presencia del Señor.

No me malentienda, la oración cuando está solo, con un amigo, en un estudio bíblico o en la iglesia es muy importante y es muy valiosa para nuestro Padre. Sin embargo, hay algo especial en la oración entre el esposo, la esposa y Dios que no puede encontrarse en ningún otro lugar. Crea una conexión espiritual, responsabilidad mutua y un lazo sagrado que fortalece y estabiliza la relación. También les permite hablar sobre asuntos delicados que tal vez nunca saldrían a la luz, asuntos sobre los que se puede hablar y orar en un espíritu de humildad y con pureza de motivos.

Hay algo **especial** en la oración entre
el esposo, la esposa y Dios.

Una oración de esta clase logra revitalizar a un matrimonio. En 1983, después de años de sentirse molesto y tener un sentimiento vago de inquietud espiritual, el compositor y cantante cristiano Steve Green derramó su corazón ante el Señor en oración y experimentó una renovación espiritual. Unas pocas semanas después, su esposa, Marijean, hizo lo mismo. Por primera vez en su matrimonio, el Sr. y la Sra. Green, comenzaron a hablar juntos con Dios de manera regular.

«Pensaba que teníamos un buen matrimonio antes porque no peleábamos, éramos compatibles y disfrutábamos de estar juntos», dice Steve. «Entonces, después de nuestra renovación, de pronto nos comunicábamos en un nivel muy profundo. Había un lazo del Espíritu de Dios que nos unía y nos acercaba más el uno al otro. Nuestra relación se hizo espiritual y floreció».

Para el matrimonio Green, la clave para descubrir esas bendiciones fue una vida de oración constante.

Intimidad con Jesús

Cuando Shirley y yo hicimos el compromiso de entregar nuestras vidas el uno al otro en esa cálida noche de agosto hace tantos años en Pasadena, California, fue una oración lo que mejor expresara todo lo que esperaríamos y lograríamos durante nuestro matrimonio. Mi padre y mi tío, el Rvdo. David L. Sharp, condujeron la ceremonia esa noche, y mi papá fue el que ofreció estas conmovedoras palabras al cielo:

Oh, eterno Dios: Traemos ante ti a nuestros hijos Jimmy y Shirley. Eran tuyos, pero en tu amor nos los prestaste por un tiempo para que los cuidáramos, los amáramos y los disfrutáramos. Fue una labor de amor que nos pareció muy corta debido al amor que les tenemos. De tus manos salieron en el principio de sus vidas. Limpios y honrados, pero con dos personalidades diferentes. En esta noche te los devolvemos, ya no dos, sino como una sola carne. *Permite que nada menos que la muerte disuelva esta unión que se consolida aquí.* ¡Y que en sus vidas siempre la gracia maravillosa de Dios haga su perfecta obra!

También es nuestra fervorosa oración por ellos *no* que Dios tenga una parte en sus vidas, sino que tenga la preeminencia; no que tengan fe, sino que la fe los posea por completo a los dos; que en un mundo materialista no vivan sólo para las cosas del mundo y lo temporal, sino que puedan asirse a lo *espiritual* y *eterno*.

Permite que sus vidas sean como el curso del sol: que sale con fuerza, avanzando con poder y brillando cada vez más hasta que el día es perfecto. Que el final de sus vidas se parezca a la puesta del sol: que se oculta en un mar de gloria, sólo para brillar en toda su plenitud en el firmamento de un mundo mejor que éste.

En el nombre del Padre, del Hijo y del Espíritu Santo. Amén.

¿No es ésa una maravillosa descripción del propósito del matrimonio? Un hombre y una mujer se unen y forman «una sola carne», unidos para siempre por la gracia de Dios en un esfuerzo santo de lograr lo mejor que Él tiene para ofrecer: una vida que brilla como el sol, edificada en el amor por el Señor, sobre una fe firme por completo y basados en la promesa de lo eterno.

Si usted y su cónyuge quieren experimentar en verdad lo mejor de Dios para su matrimonio, una relación caracterizada por amor verdadero e intimidad genuina, tienen que enfrentar la realidad en cuanto a la posición de los dos ante Él. De acuerdo con la Biblia, todos nacemos con una naturaleza pecaminosa (Romanos 3:23). El problema del pecado impide que vivamos como quiere Dios, ya sea como individuos o como pareja casada. Es más, el pecado sin resolver anulará nuestros mejores esfuerzos de tener un matrimonio de éxito, porque el resultado ineludible del pecado es esclavitud a nuestros peores impulsos y, al final, la muerte (véase Romanos 6:23).

Sin embargo, ¡existe una alternativa maravillosa! Jesucristo pagó el precio por sus pecados a través de Su muerte en la cruz. Y mediante Su resurrección milagrosa, lo rescató de la destrucción eterna. Ahora puede acudir con fe para recibir el don gratuito de una nueva vida. Jesús expresó las buenas nuevas de esta forma: «Porque tanto amó Dios al mundo, que dio a su Hijo unigénito, para que todo el que cree en él no se pierda, sino que tenga vida eterna» (Juan 3:16).

Es así de sencillo: Si decide arrepentirse de su pecado y recibe el don de la salvación mediante la fe en Jesucristo, usted será perdonado y recibirá el don de la vida eterna.

Jesús lo ama y anhela tener comunión con usted. Cuando se arrodilla ante Cristo y pasa tiempo a su lado en oración, se acerca a Él y hay gozo en el cielo. Si no tiene esta clase de relación con Jesús, le invito a que esta noche ofrezca la siguiente oración. La intimidad en el matrimonio comienza con la intimidad con el Señor. Para cada ser humano que invita a Jesús a entrar a su corazón, *¡ése* es el momento en que comienza en verdad la vida!

Dios, soy pecador y te necesito.
No puedo vivir como es debido
ni alcanzar la vida eterna por mi cuenta.
Por favor, perdona mis pecados.
Creo que Jesucristo es tu Hijo unigénito.
Tú lo enviaste para que muriera
en mi lugar y me liberara
del pecado. ¡Gracias!
Amén.

Cómo se establece
un hogar centrado en Cristo

- ¿Decidieron usted y su cónyuge, cada uno en forma separada, recibir el don de Dios de la salvación? Si no lo han hecho, ¿qué les impide tomar esa decisión, y cómo pueden vencer ese impedimento?

- ¿Cuándo fue la última vez que tuvo un tiempo de oración significativo con su cónyuge? Si todavía no lo hacen, planeen orar juntos todos los días por las siguientes dos semanas. Hablen sobre los cambios que ven en su relación con el Señor y en la del uno con el otro.

- Escriba algunas formas en que usted y su cónyuge pueden alentarse el uno al otro a fin de pasar más tiempo en la Palabra de Dios, y luego hablen juntos al respecto.

2

El compromiso para toda la vida

«Así que ya no son dos, sino uno solo. Por tanto, lo que Dios ha unido, que no lo separe el hombre».

MATEO 19:6

Volvamos a nuestro panel de seiscientos «expertos» en el matrimonio. Si su primera recomendación para el éxito en un matrimonio fue un hogar centrado en Cristo, ¿qué fue la segunda en su lista?

De nuevo fue otro concepto básico, a saber, el amor comprometido. Esas parejas habían vivido lo suficiente como para saber que un compromiso matrimonial débil conduce al divorcio. Un participante escribió:

El matrimonio no es un cuento de hadas. Aun así, uno puede esforzarse en crear un oasis de amor en medio de un mundo cruel para mantenerse allí.

Otro dijo:

La perfección no existe. Uno debe acometer los primeros años del matrimonio con un permiso de aprendiz a fin de resolver las incompatibilidades. Es un esfuerzo continuo.

Estas perspectivas no parecen muy románticas, ¿verdad? Con todo, muestran la sabiduría de la experiencia. La compatibilidad de dos personas no está en que se amen y sean creyentes en Cristo. Muchos jóvenes dan por sentado que la luz del sol y las flores que caracterizaron su noviazgo continuarán por el resto de sus vidas. ¡No lo crea! Es ingenuo creer que dos individuos únicos y de temperamento fuerte van a encajar juntos como si fueran dos máquinas. Hasta los engranajes tienen dientes con superficies ásperas que se deben limar antes de que trabajen a la par.

Ese proceso de alisar las asperezas casi siempre ocurre durante los primeros años del matrimonio. Lo que a menudo sucede en este tiempo es una lucha espectacular por el poder en la relación. ¿Quién guiará? ¿Quién seguirá? ¿Quién determinará cómo se gasta el dinero? ¿Quién se saldrá con la suya en tiempos de desacuerdos? Todo está a disposición de cualquiera al principio, y la forma en que se toman estas primeras decisiones marcará la pauta del futuro.

Si ambos cónyuges entran en la **relación** preparados para la batalla, la **base** comenzará a desmoronarse.

Aquí es donde yace el peligro. Abraham Lincoln, citando las palabras de Jesucristo, dijo: «Y si una familia está dividida contra sí misma, esa familia no puede mantenerse en pie» (véase Marcos 3:25). Si ambos cónyuges entran en la relación preparados para la batalla, la base comenzará a desmoronarse. El apóstol Pablo nos dio la perspectiva divina en cuanto a las relaciones humanas, no sólo en el matrimonio, sino también en cada dimensión de la vida. Escribió: «No hagan nada por egoísmo o vanidad; más bien, con humildad consideren a los demás como superiores a ustedes mismos» (Filipenses 2:3).

Ese solo versículo contiene más sabiduría que la mayoría de los manuales sobre el matrimonio combinados. Si se obedeciera, podría casi eliminar el divorcio del catálogo de la experiencia humana, lo cual no es un logro pequeño, considerando que más de un millón de matrimonios se separan en los Estados Unidos todos los años[1]. Si quiere que su matrimonio sea diferente, lo insto a que se comprometa ahora a «quedarse allí» juntos durante la fase de recién casados, la mediana edad y los años dorados.

Persevere a través del dolor

No puedo recomendar otro modelo mejor de compromiso altruista e incondicional que el de Robertson McQuilkin. En su libro *A Promise Kept*, habla de la época cuando fue presidente de una universidad bíblica próspera en Carolina del Sur durante más de veinte años. Su esposa, Muriel, lo apoyó de muchas maneras, incluso siendo una excelente cocinera y anfitriona cuando recibían visitantes de la universidad en su hogar. Eran un equipo que ministraba con eficiencia.

Entonces declinó la salud de Muriel. Las pruebas confirmaron los temores del médico: Padecía de la enfermedad de Alzheimer. Con el tiempo, Muriel perdió sus facultades y Robertson tuvo que ocuparse cada vez más de las necesidades básicas de su esposa, lo que incluía alimentarla, bañarla y vestirla.

Con las necesidades cada vez mayores de su esposa y con sus responsabilidades constantes en la universidad, Robertson enfrentó una decisión difícil: ¿Debía colocar a Muriel en una institución? Amaba su trabajo y sentía que Dios lo había llamado para servirlo como presidente de una universidad. A pesar de eso, también sabía que poner a Dios primero en su vida significaba que «todas las responsabilidades que Él da también van primero». Hacía décadas que Robertson había hecho una promesa ante el Señor de amar, atesorar y cuidar a Muriel, y sabía que Dios esperaba que continuara honrando esa promesa. Al final, la decisión resultó ser fácil. Robertson renunció a su cargo a fin de cuidar mejor a Muriel. Ahora era su turno de servir con humildad a su esposa[2].

A diferencia de tantas personas hoy, Robertson McQuilkin entendió con claridad el significado del *compromiso*. Cuando el cuerpo y la mente de su esposa se deterioraban sin la esperanza de una cura, de buena gana abandonó el trabajo y el ministerio que tanto disfrutaba y le había costado tanto trabajo edificar. Muriel lo necesitaba, y estaría allí para cuidarla, aun cuando no le pudiera dar nada a cambio, ni siquiera decirle «gracias». Esto, en toda su magnificencia y dolor, es el significado del amor.

Muy pocas seguridades tenemos todos en esta existencia mortal, pero hay una absoluta y es que, al igual que Robertson McQuilkin, también experimentaremos dificultades y estrés. Nadie queda ileso. La vida nos va a probar a todos con severidad, si no es durante los años de la juventud, va a ser en los hechos que rodean nuestra vejez. Jesús habló de esta certeza cuando les dijo a sus discípulos: «Yo les he dicho estas cosas para que en mí hallen paz. En este mundo afrontarán aflicciones, pero ¡anímense! Yo he vencido al mundo» (Juan 16:33).

Mi pastor lo dijo de esta manera: «Hay dos clases de personas en el mundo: las que sufren y las que *sufrirán*».

El doctor Richard Selzer es un cirujano que ha escrito varios libros notables sobre sus amados pacientes, incluyendo *Mortal Lessons* y *Letters to a Young Doctor*. En el primero de estos libros, describe la experiencia del «horror» que invade la vida de una persona tarde o temprano. Cuando somos jóvenes, dice, parece que estamos protegidos del horror en la forma en que el cuerpo se protege de las infecciones bacteriales. A nuestro alrededor hay organismos microscópicos, pero las defensas de nuestro cuerpo los mantienen alejados, al menos por un tiempo. Asimismo, todos los días caminamos sin problemas en un mundo de horrores y a través de él como si nos rodeara una impenetrable membrana de protección. Es posible que no estemos conscientes de que existen posibilidades dolorosas durante ese período en que somos jóvenes y estamos sanos. Entonces un día, sin advertencia, se rompe la membrana y el horror se filtra en nuestra vida. Hasta ese momento, siempre había sido la mala fortuna de otra persona, la tragedia de otro hombre, y no la nuestra. La rasgadura de la membrana quizá sea algo devastador, sobre todo para los que no conocen el «ánimo» que Jesús da en tiempos de tribulación.

Cuando servía en la facultad de una gran escuela de medicina durante catorce años, observaba a esposos y esposas en las horas cuando el horror comenzaba a penetrar sus membranas de protección. Con mucha frecuencia, sus relaciones matrimoniales se destrozaban debido a las nuevas tensiones que invadían sus vidas. Por ejemplo, los padres de un niño retrasado mental, a menudo se culpaban el uno al otro por la tragedia que los enfrentaba. En lugar de apoyarse entre sí en amor y afirmación, agregaban a su dolor con el ataque mutuo. No los condeno por esta falla humana, pero sí me dan lástima. A su relación le faltaba un ingrediente básico, el cual siguió sin reconocerse hasta que se rasgó la membrana: Les faltaba el componente esencial del compromiso.

Hace varios años escuché al ahora difunto doctor Francis Schaeffer hablar sobre este asunto. Describió los puentes en Europa que los romanos construyeron en el primer y segundo siglo D.C. Todavía están en pie hoy en día, a pesar de que se construyeron usando ladrillos sin reforzar y sin cemento. ¿Por qué no se han derrumbado en esta época de camiones y equipos pesados? Permanecen intactos porque para lo único que se usan es para peatones. Si un camión de dieciocho ruedas fuera a pasar por una de esas históricas estructuras, se desmoronaría produciendo una gran nube de polvo y escombros.

Los matrimonios a los que les falta una determinación férrea de permanecer juntos a toda costa son como esos frágiles puentes romanos. Parecen fuertes y es posible que se mantengan sin desmoronarse, hasta que los ponen bajo presión. Entonces es cuando las junturas se cuartean y los cimientos se hunden. Me parece que la mayoría de las parejas jóvenes hoy están en esa increíblemente vulnerable posición. Sus relaciones están construidas usando barro sin reforzar que no soportará el peso de las pruebas que se avecinan. La determinación de sobrevivir juntos no se encuentra allí.

¿Qué, entonces, hará usted cuando las crisis inesperadas desciendan sobre su hogar, o cuando su matrimonio parezca estar sencillamente debilitado y sin vida? ¿Desistirá? ¿Se quejará y llorará y buscará maneras de contraatacar? ¿O su compromiso permanecerá firme? Estas preguntas se deben tratar *ahora*, antes de que Satanás tenga la oportunidad de poner la soga del desaliento alrededor de su cuello. Manténgase firme y cierre los puños. Nada que no sea la muerte debe interponerse entre ustedes dos. *¡Absolutamente nada!*

Las emociones: Uno no puede confiar en ellas

Hace falta un compromiso amoroso, algo tan crítico para el éxito de un matrimonio, no sólo para las grandes tragedias de la vida, sino también para las frustraciones diarias que ejercen presión y deterioran una relación. Estas pequeñas irritaciones, cuando se acumulan con el tiempo, pueden ser más amenazadoras para una relación que los eventos catastróficos. Y sí, amigos, hay tiempos en todos los buenos matrimonios cuando a un esposo no le gusta mucho su esposa y cuando a ella no le gusta mucho su esposo. Aun hay ocasiones cuando sienten como que nunca amarán a su cónyuge otra vez.

El problema se encuentra en la palabra *sentimiento*. El *sentimiento* del amor es demasiado efímero como para mantener una relación por mucho tiempo. El sentimiento va y viene. Así son las emociones. A veces se «desinflan» como el neumático de un automóvil cuando le entra un clavo; el marchar sobre el aro es una experiencia muy incómoda para los que están a bordo.

El **sentimiento** del amor es demasiado efímero como para **mantener** una **relación** por mucho tiempo.

La inestabilidad de las emociones me recuerda un chiste sobre la boda de un abogado joven especializado en contratos y su novia. Cuando el ministro llegó a la parte de repetir los votos, dijo: «¿Toma usted a esta mujer como

33

su esposa en las buenas? ¿En las malas? ¿En tiempos de abundancia? ¿En tiempos de escasez? ¿En buena salud? ¿En enfermedad?».

El ministro se sobresaltó cuando escuchó la respuesta del novio: «Sí. No. Sí. No. Sí. Y No».

En otra ceremonia de bodas, y ésta fue real, la novia y el novio prometieron estar casados *mientras se continuaran amando el uno al otro*. Esperemos que los dos tengan buenos abogados especialistas en divorcio, porque los van a necesitar. Las relaciones basadas en los sentimientos son siempre transitorias. Es más, las emociones son mentirosas empedernidas que a menudo van a confirmar nuestros peores temores en la ausencia de evidencia que los apoye. Hasta a los jóvenes valientes se les pueden engañar con las jugarretas de las emociones sin control.

No niego la importancia de los sentimientos en nuestras relaciones humanas. A decir verdad, las personas que se han aislado tanto que ya no sienten nada son individuos muy enfermos. Sin embargo, debemos entender que las emociones no son confiables y, a veces, hasta son tiránicas. Nunca deberíamos permitir que nos dominaran.

Por lo general, este principio se ha entendido desde los días de las Escrituras. En 2 Corintios 10:5 leemos: «Llevamos cautivo todo pensamiento para que se someta a Cristo». Y considere lo que dice Gálatas 5:22: «Pero cuando el Espíritu Santo rige nuestras vidas, produce en nosotros amor, gozo, paz, paciencia, benignidad, bondad, fidelidad, mansedumbre, templanza» (LBD). A esto se le llama *el fruto del Espíritu*, y comienza con el atributo que se anota al final: el ejercicio de la templanza o dominio propio.

Una de las evidencias de la madurez emocional y espiritual es la habilidad (y la disposición) de rechazar las emociones efímeras y gobernar nuestro comportamiento con la razón. Esto quizá lo lleve a soportar con entereza cuando tal vez sienta deseos de escapar; y controlar su lengua cuando siente ganas de gritar; y ahorrar el dinero cuando siente deseos de gastarlo; y permanecer fiel cuando siente ganas de coquetear; y poner el bienestar de su cónyuge por encima del propio. Estos son hechos juiciosos que no pueden ocurrir cuando reinan los sentimientos prejuiciados, caprichosos y poco fiables. Sin duda, las emociones son importantes en una relación, pero deben apoyarlas la voluntad y un compromiso para toda la vida.

Una vez traté de expresarle este pensamiento a mi esposa en una tarjeta de aniversario:

A MI QUERIDA ESPOSA, SHIRLEY, EN OCASIÓN
DE NUESTRO OCTAVO ANIVERSARIO DE BODAS

Estoy seguro de que recuerdas las muchísimas ocasiones durante nuestros ocho años de matrimonio cuando la corriente de nuestro afecto y amor sobrepasaba los límites [...] tiempos cuando nuestros sentimientos del uno por el no tenían fin. Esta clase de intensa emoción no se puede traer mediante la voluntad, pero a menudo acompaña a un tiempo de mucha felicidad. La sentimos cuando me ofrecieron mi primer trabajo como profesional. La sentimos cuando la niña más preciosa del mundo vino a nuestro hogar de la sala de maternidad del Hospital Huntington. La sentimos cuando la Universidad del Sur California me otorgó el título de doctor. Con todo, ¡las emociones son extrañas! Sentimos la misma clase de unión cuando sucedieron hechos totalmente opuestos; cuando nos alcanzó aquello que nos amenazaba. Sentimos la misma intimidad cuando un problema médico casi hizo que tuviéramos que posponer nuestro matrimonio. La sentimos cuando te hospitalizaron el año pasado. Sentí una intensa unión cuando me arrodillé a tu lado, y tú estabas inconsciente por motivo de un terrible accidente automovilístico.

Lo que trato de decir es esto: Tanto la felicidad como las amenazas suscitan esa sobrecogedora apreciación y amor por nuestro ser amado. Aun así, el hecho es que la mayor parte de la vida no se compone ni de desastres ni de felicidad inusitada. Más bien, está compuesta de los rutinarios y tranquilos hechos en los que participamos todos los días. Y durante esos momentos, disfruto del amor quieto y sereno que en realidad sobrepasa la manifestación efervescente de muchas maneras. Tal vez no sea tan exuberante, pero es profundo y sólido. Me encuentro con seguridad en esa clase de amor en éste nuestro octavo aniversario. Hoy siento el continuo y tranquilo amor que nace de un corazón devoto a ti. Estoy comprometido contigo y con tu felicidad, más hoy de lo que jamás he estado antes. Quiero seguir siendo tu «amor».

Cuando los acontecimientos nos unan de manera emocional, disfrutaremos de esa emoción y romanticismo. Sin embargo, durante la rutina de la vida, como hoy, mi amor permanece constante. Feliz aniversario a mi maravillosa esposa.

Tu Jim

«Prometo...»

La palabra amor se puede definir de diversas maneras, pero en el matrimonio «Te amo» significa en realidad:

«Prometo estar contigo apoyándote todos los días de mi vida». Es una promesa que dice: «Estaré a tu lado cuando pierdas el trabajo, cuando estés enfermo, cuando pierdas a tus padres, cuando envejezcas, cuando te sientas desanimado y cuando no tengas amigos». Es una promesa que le dice a su cónyuge: «Te haré sentir mejor; pasaré por alto tus debilidades; perdonaré tus errores; pondré tus necesidades antes que las mías; permaneceré contigo cuando las cosas se pongan difíciles».

Esta clase de seguridad los mantendrá firmes a través de los altibajos de la vida, a través de todas las condiciones «buenas y malas». Cuando usted cumple la promesa «te amo», estará llevando a cabo la instrucción de nuestro Señor en las Escrituras: «Cuando ustedes digan "sí", que sea realmente sí; y cuando digan "no", que sea no» (Mateo 5:37).

«Te amo» **significa** en **realidad**: «**Prometo** estar a tu lado apoyándote **todos** los días de mi vida».

Nuestro Padre celestial ha demostrado a través del tiempo que Él cumple sus promesas, incluyendo la más importante de todas, que es la de reservar un lugar en el cielo para cada uno de sus seguidores, para toda la eternidad. Puesto que Dios cumple sus promesas, también nosotros debemos cumplir las nuestras, en especial la que hicimos delante de Dios, de nuestra familia, de nuestros amigos y de nuestra iglesia el día de nuestra boda.

Espero que me permita repetirle algunas palabras que le dijo un hombre a una mujer a fin de expresarle este tipo de compromiso. Hace setenta años, mi papá, James Dobson, le dijo estas palabras a su novia (mi futura madre) después que accediera a ser su esposa:

Quiero que entiendas y seas del todo consciente de mis sentimientos concernientes al pacto matrimonial que estamos a punto de hacer. Desde pequeño, mi madre me ha enseñado, en armonía con la Palabra de Dios, que los votos matrimoniales son inviolables, y que al pronunciarlos, me comprometo en forma absoluta y para toda la vida. En ningún momento permitiré que la idea de separarme de ti mediante el divorcio por cualquier razón [aunque Dios permite una: la infidelidad] entre en mi manera de pensar. No soy ingenuo en esto. Al contrario, tengo plena conciencia de la posibilidad, aunque ahora parece imposible, de que la incompatibilidad mutua u otras circunstancias imprevistas quizá resulten en extremo sufrimiento mental. Si ése fuera el caso, estoy resuelto de mi parte a aceptarlo como una consecuencia del compromiso que ahora hago y a mantenerlo, si es necesario, hasta el fin de nuestras vidas juntos.

Te he amado con todo el corazón como mi novia y continuaré amándote como mi esposa. Aunque por encima de eso, te amo con un amor cristiano que demanda que nunca reaccione de ninguna manera hacia ti que pudiera poner en peligro nuestra esperanza de llegar al cielo, la cual es el objetivo supremo de la vida de ambos. Y mi oración es que Dios sea el que haga que nuestro amor del uno por el otro sea perfecto y eterno.

James y Myrtle Dobson disfrutaron de un matrimonio amoroso, comprometido y satisfactorio que comenzó en 1935 y terminó con la muerte de mi padre en 1977. En todos esos años, nunca flaquearon en su decisión. Si encara su matrimonio con esa determinación, usted también constituirá una relación estable y gratificante que durará toda la vida.

El compromiso mutuo no sólo le ayudará a tener un matrimonio duradero sino también a establecer la base esencial de la confianza, que es un requisito para la verdadera intimidad en cualquier relación. Hablaremos más sobre la confianza en el próximo capítulo.

Cómo se cultiva
el amor comprometido

- ¿Qué papel juegan las emociones en su relación con su cónyuge? Hablen juntos sobre esto, y luego ratifiquen su compromiso el uno con el otro, sin tener en cuenta lo que hayan sentido en algún momento dado.

- Identifiquen a otra pareja cuyo matrimonio ha permanecido firme bajo estrés. Pregúnteles: «¿Cuál es su secreto?». Decidan si sus métodos también pueden aplicarse al matrimonio de ustedes.

- Vuelvan a leer la declaración que James Dobson, padre, le hizo a su novia. Reúnase con su compañero y renueve, en forma escrita, el compromiso del uno por el otro para toda la vida.

3

La confianza profunda y verdadera

El amor [...] todo lo cree.
1 CORINTIOS 13:6-7

Desde el comienzo de una relación, y de seguro a lo largo del matrimonio, cada uno de nosotros enfrenta una pregunta crítica todos los días: ¿Confío en mi compañero o no? Tal vez ni nos demos cuenta de que la pregunta está ante nosotros, pero aun así, la forma en que la contestamos tiene que ver con el nivel de intimidad que logramos con nuestra pareja. Las relaciones dominadas por el temor o la inseguridad nunca alcanzarán su potencial, pero los matrimonios fundados en la confianza y la seguridad prosperarán.

En algún momento, la mayoría de nosotros hemos sentido cierta ansiedad por el compromiso de nuestro cónyuge, ya sea debido a una amenaza verdadera a nuestra relación o por nuestras propias inseguridades e imaginaciones. Aun como cristianos, sabemos que podemos colocar nuestra confianza total en el Señor. ¿Pero podemos tener confianza absoluta e indudable en nuestro cónyuge? Eso puede ser más difícil de conceder. La verdad es que se debe ganar a través del tiempo: palabra por palabra, hecho por hecho.

Edifique la confianza con palabras

¿Le gusta hacerle bromas a su cónyuge? Cuando está con amigos, ¿en ocasiones revela algún secreto vergonzoso de él o ella?

Una clave para edificar la confianza es tener mucho cuidado de no ofender o avergonzar a las personas que amamos. Alguna información es privada y debe permanecer como tal. Si uno de los cónyuges revela secretos familiares en forma indiscriminada o expresa cosas que podrían tomarse como derogatorias, esto rompe el lazo de la lealtad y viola la confianza.

Si alguna vez ha asistido a una fiesta en la que se hace un juego que revela los «secretos sobre su cónyuge», usted sabe a lo que me refiero. El objetivo es simple: Un participante intenta castigar a su cónyuge ridiculizándolo frente a sus amistades. Si quiere ser cruel en especial, les dice a los invitados que piensa que su esposa es tonta y fea. Es un juego brutal en el que no hay ganadores. El juego termina cuando la esposa es totalmente despojada de amor propio y dignidad y él recibe puntos adicionales si logra que ella llore.

¿Le parece cruel? Lo es, aun cuando se lleva a cabo bajo el disfraz de hacer una broma o tomar el pelo. Nunca es agradable ver a alguien demostrar su enojo contra su cónyuge de esta forma. Somos muy sensibles a los comentarios de nuestra pareja delante de nuestros amigos. Éste es un juego que nunca se debería practicar.

También esté alerta en cuanto a otro tipo de juego que es usar lo que le «dice» a su cónyuge para crear inseguridad y tener dominio sobre él. Conozco a un joven y apuesto presidente de una compañía que le hablaba a su esposa todos los días sobre las mujeres solteras en su oficina que flirteaban con él. Su franqueza era admirable, pero al no afirmar *también* su compromiso con su esposa, le decía (de manera consciente o inconsciente): «Es mejor que me trates bien porque hay suficientes mujeres por ahí que están esperando para "atraparme"». La esposa comenzó a preocuparse porque no quería perder a su esposo.

Debía haber reflexionado en cuáles eran los motivos reales que él tenía para alarmar a su esposa. ¿Esta clase de comentarios edificaba o dañaba la amistad y confianza de ella? Y ella podría haber ayudado al redirigir la conversación señalándole a su esposo, con calma y sin amenazas, la forma en que la hacían sentir sus palabras.

Edifique la confianza con acciones

Sus palabras y la forma en que las usa tienen mucha importancia, pero la forma más segura de establecer confianza es mediante sus acciones. Edifique un historial de elecciones y acciones que le prueben a su cónyuge que puede confiar en usted en todo momento, sobre todo en lo que respecta a sus relaciones con el sexo opuesto.

Edifique un historial de elecciones y acciones que le prueben a su **cónyuge** que puede **confiar** en usted en todo momento.

Por mi parte, puedo decir con toda sinceridad que nunca he considerado serle infiel a Shirley. El solo pensamiento de herirla y de invitar la ira de Dios han sido más que suficiente para mantenerme en el camino recto y angosto. Además, nunca destruiría la relación especial que hemos disfrutado todos estos años. Sin embargo, Satanás tratará de debilitar incluso a los matrimonios basados en este tipo de compromiso.

Él me tendió una trampa durante un tiempo de vulnerabilidad en particular. Shirley y yo teníamos pocos años de casados cuando tuvimos un pequeño desacuerdo. No fue algo grande, pero los dos nos agitamos bastante en ese momento. Subí a mi automóvil y fui a dar una vuelta por una hora para calmarme. Entonces, cuando estaba camino de regreso a mi hogar, una joven muy atractiva en el auto al lado del mío me sonrió. Era obvio que coqueteaba conmigo. Entonces disminuyó la velocidad, miró hacia atrás, y dio vuelta en una calle lateral. Sabía que me invitaba a seguirla.

No mordí el anzuelo. Fui a mi hogar e hice las paces con Shirley. Más tarde pensé en lo malvado que fue Satanás aprovechando el conflicto momentáneo entre los dos. La Biblia dice que «el diablo ronda como un león rugiente, buscando a quién devorar» (1 Pedro 5:8). Puedo ver que esta descripción es verdadera. El diablo sabía que la mejor oportunidad para dañar nuestro matrimonio era durante esa hora o dos en las que estuvimos irritados el uno con el otro. Esto es típico de su estrategia. También le va a tender una trampa a usted, y es probable que sea en un tiempo de vulnerabilidad. Cuando su «hambre» sea mayor, le ofrecerá el fruto hermoso, apetecible y prohibido. Si usted es tonto y extiende la mano para tomarlo, sus dedos se enterrarán en la parte putrefacta de adentro. Así es como opera el pecado en nuestras vidas. Nos promete todo; y lo único que nos da es disgusto y aflicción.

Alguien lo dijo de esta manera: Todo lo que necesita para hacer crecer la mejor cosecha de malezas es tener una pequeña grieta en su vereda.

Los cercos alrededor de su hogar

Entonces, ¿cómo evitamos que se formen grietas en la vereda de nuestro matrimonio? Pues bien, la mejor manera de evitar una aventura amorosa es huir de la tentación en cuanto se presenta. El autor Jerry Jenkins se ha referido a esta determinación de permanecer puros en lo moral como a «construir cercos» alrededor del matrimonio a fin de que la tentación nunca ponga un pie adentro. Usted da pasos para protegerse a sí mismo, y al mismo tiempo aumenta el nivel de confianza en su matrimonio.

Para construir un cerco alrededor de su hogar, hable con su cónyuge en cuanto a la forma en que se relaciona con el sexo opuesto; a continuación establezca pautas prudentes y sensatas. Algunas parejas deciden no almorzar con un compañero de trabajo, viajar juntos, hablar solos detrás de puertas cerradas, viajar en automóvil juntos o trabajar como «pareja» en un proyecto. Pónganse de acuerdo en lo que los dos consideran razonable, y luego cumplan el acuerdo. Si se enfrenta con una situación de la que no han hablado, pregúntele a su cónyuge con antelación, y si él o ella se siente incómodo con eso, entonces no lo haga. Tenga en cuenta las preocupaciones de su cónyuge. El Señor los ha hecho «una sola carne» por una buena razón.

Quizá no sea perjudicial mostrarle un poco de amistad a alguien del sexo opuesto, pero evite cruzar la línea del coqueteo. Pregúntese: *¿Estaría cómodo mi cónyuge si viera este intercambio? ¿Provocarían confianza mis acciones o suscitarían dudas en cuanto a mis motivos?*

Al principio tal vez le parezca extraño pedir permiso para tomar parte en lo que probablemente sea una actividad inocente. Sin embargo, muy pronto descubrirá lo bien que se siente cuando la situación se da vuelta y es su cónyuge el que le formula la pregunta a usted.

Vigile las señales de advertencia de que puede ser vulnerable a una aventura amorosa. El doctor Merville Vincent escribió una vez un artículo para la revista *The Christian Medical Society Journal* describiendo cómo los médicos, o cualquiera en una posición de autoridad, puede caer en las trampas de la tentación[3]. En la descripción del doctor Vincent, una joven divorciada, o casada en un matrimonio que no es feliz, visita a su doctor buscando tratamiento por un problema médico. La mujer quizá se sienta asustada e indefensa. Por otro lado, el médico parece fuerte, seguro y capaz de resolver su problema inmediato. La mujer cree que el médico es maravilloso y se lo dice. De inmediato él está de acuerdo con ella.

Mientras tanto, el médico tiene sus propios problemas en casa. Tal vez se deba a las horas que pasa en el trabajo, a que su esposa no suple su deseo de que lo atiendan, porque tal vez la esposa esté cansada de tratar de ofrecerle algo a este hombre que se esfuerza muy poco en suplir *sus* necesidades de que sea un esposo y padre que se involucra con la familia. Ella le pone más demandas en el hogar; él no siente que lo aprecian. De pronto, esta joven paciente le parece cada vez más atractiva.

Es una receta para el desastre. La primera señal de advertencia es cuando el esposo (o la esposa) comienza a sentir que su paciente (o cliente o colega) lo aprecia y lo ama más que su esposa y su familia. La siguiente señal es cuando el esposo (o la esposa) encuentra maneras de pasar más tiempo con su nuevo interés y menos tiempo en el hogar. En ese instante la aventura amorosa está al doblar de la esquina.

De acuerdo con el doctor Vincent, esta situación se puede evitar si las parejas se dan cuenta de que la infidelidad se desarrolla de necesidades insatisfechas: las del esposo, las de la esposa y las de la tercera persona. Se deberían dar cuenta de que suplir las necesidades existentes con soluciones eróticas empeora, y no mejora, la situación. También deberían entender que una forma segura de prevenir una aventura amorosa es que *ambos*, el esposo y la esposa, pongan las necesidades del otro antes que las propias. Estoy de acuerdo con eso. Una cosa que de seguro edifica un matrimonio es una actitud de servicio y sacrificio.

Una advertencia final en cuanto a la tentación: Le insto a que se guarde del orgullo en cuanto a su infalibilidad. En el instante en que comience a pensar que una aventura amorosa es algo que «nunca me sucedería a mí», es cuando se vuelve más vulnerable. Somos criaturas sexuales con impulsos poderosos. También somos seres caídos con fuertes deseos de hacer el mal. La tentación se trata de esto. *No* le dé lugar en su vida. Mi padre escribió una vez: «El deseo fuerte es como un poderoso río. Mientras tanto se encuentra dentro de las riberas de la voluntad de Dios, todo será apropiado y limpio. Pero cuando se sale de esos límites, la devastación espera corriente abajo».

Hace algún tiempo descubrí una característica universal, aunque poco reconocida, de la naturaleza humana: *Valoramos aquello que deseamos obtener, y subestimamos lo que ya poseemos. Codiciamos lo que está fuera de nuestras posibilidades y echamos a un lado el mismo objeto, cuando ya nos pertenece permanentemente*[4]. Esto ayuda a explicar el increíble poder que la atracción de la infidelidad puede tener en nuestro comportamiento. A pesar de todo esto, Dios promete proveer una «salida» a la tentación si la buscamos (1 Corintios 10:13). Continúe buscando la salida y seguirá edificando la confianza en su matrimonio.

La confianza empieza con Dios

Desde luego, hasta en el mejor de los matrimonios, es posible que uno de los cónyuges falle y esto haga que el otro le pierda la confianza. Es por eso que *debemos* contar con el poder de Dios, no el nuestro, si esperamos tener un matrimonio en el que haya intimidad. Es sólo cuando el esposo y la esposa se comprometen a vivir de acuerdo con los caminos de Dios que se desarrolla entre ambos un vínculo duradero. Podemos entregarle nuestro corazón con confianza a nuestro cónyuge cuando sabemos que procura con sinceridad seguir a Dios y sus preceptos.

Sólo la confianza en la fidelidad de Dios nos da el valor de permanecer dispuestos de forma vulnerable, sabiendo que quizá nos hieran. En 1993, la película *Tierras de penumbra* presentó la vida del escritor C.S. Lewis y de su amada esposa que murió antes de tiempo. Su muerte le produjo intenso dolor a Lewis, haciendo que se preguntara si debiera haberse permitido amarla. En la última frase concluyó que se nos dan dos elecciones en la vida. Podemos permitirnos amar y cuidar a otras personas, lo que nos hace vulnerables a sus enfermedades, muerte o rechazo. O podemos protegernos a nosotros mismos rehusándonos a amar. Lewis concluyó que es mejor sentir y sufrir que pasar por la vida aislados, apartados y solitarios. Estoy de acuerdo por completo con él.

Sí, confiar en su cónyuge es riesgoso. No obstante, lograr la verdadera intimidad hace que valga la pena el riesgo.

Edifiquen juntos la confianza

- ¿Cuán profunda es su confianza en Dios? ¿Cuánta confianza le tiene a su pareja? Hablen juntos sobre cómo la confianza en el Señor puede edificar la confianza en su matrimonio.

- ¿Sabe usted que Dios tiene una opinión muy fuerte en cuanto al adulterio? Lea Éxodo 20:14; Levítico 18:20; 20:10; Proverbios 7; Malaquías 3:5; Mateo 5:27-28; Marcos 10:11-12; Juan 8:1-11; Romanos 7:2-3; Efesios 5:3-5 y Hebreos 13:4.

- ¿Se siente cómodo usted con el comportamiento de su cónyuge con las personas del sexo opuesto y viceversa? Hablen sobre las pautas en que ambos pueden concordar y que edificarán cercos alrededor de su hogar.

4

La disposición para comunicarse

*Cada uno debe velar no sólo por sus propios intereses
sino también por los intereses de los demás.*

FILIPENSES 2:4

E l arte de la comunicación no es algo que nos venga
con naturalidad a la mayoría de nosotros. A algunas
personas no les gusta mucho hablar. Otros individuos hablan sin cesar, pero en realidad no dicen mucho.
Pero cuando se trata del matrimonio, la comunicación
es una de *las* claves para la intimidad. Los que dominan
este arte tienen muchas probabilidades de disfrutar una
relación íntima, satisfactoria y fructífera. Sin embargo,
los que de continuo no se entienden el uno al otro, a
menudo se sienten aislados y solitarios, y esta es una de
las causas principales de divorcio.

Una de las razones principales de los problemas de comunicación en el matrimonio es la diferencia fundamental entre los hombres y las mujeres. La investigación deja claro que la mayoría de las niñas son bendecidas con mayor habilidad lingüística que la mayoría de los niños, y este don permanece para toda la vida. Dicho con sencillez, ella habla más que él. Por lo general, como adulta, ella expresa sus sentimientos y pensamientos mucho mejor que su esposo y a menudo se irrita por la reticencia de él. Es como si Dios le diera cincuenta mil palabras al día, a ella y a su esposo sólo veinticinco mil. (O tal vez sólo pareciera así). Él regresa al hogar y ya usó veinticuatro mil novecientas setenta y cinco palabras y sólo le queda gruñir por el resto de la noche. Él quizá se enfrasque en el partido de fútbol del lunes por la noche, mientras que su esposa se muere por usar las veinticinco mil palabras que le quedan. Una columnista, comentando sobre esta tendencia masculina, hasta propuso que se pasara una ordenanza en la que se haga constar que al hombre que vea ciento sesenta y ocho mil partidos de fútbol en una sola temporada lo declaren muerto conforme con la ley. (Los que están a favor digan: «Sí»).

La complejidad de la personalidad humana garantiza que hay excepciones en toda generalización. Sin embargo, cualquier consejero matrimonial entendido en el tema sabe que la incapacidad o la renuencia de los esposos de revelar sus sentimientos a sus esposas es una de las quejas comunes de las esposas. Casi se puede declarar como un absoluto: Muéstreme un esposo callado y reservado, y yo le mostraré una esposa frustrada. Ella quiere saber lo que él piensa, lo que sucedió en su centro de trabajo, lo que le parecen los hijos y sobre todo cómo se siente en cuanto a ella. El esposo, en contraste, encuentra que es mejor no decir algunas cosas. Es una lucha clásica.

La paradoja está en que una mujer muy emocional y habladora a veces se siente atraída por el tipo de hombre fuerte y callado. Él se veía muy seguro y parecía «en control» antes de casarse. Ella admiraba su naturaleza impertur-bable y su calma durante una crisis. Entonces se casaron y la otra cara de su gran punto fuerte se hizo obvia: ¡Él no habla! Así que durante los siguientes cuarenta años ella ha apretado los dientes porque su esposo no le ha podido dar lo que necesitaba de él. Es que simplemente no estaba en él.

Una vez recibí la siguiente carta (que modifiqué a fin de proteger la identidad de su escritora), la cual repre-senta otras mil cartas recibidas:

Estimado doctor Dobson:

Leí su libro *Lo que las esposas desean que los maridos sepan sobre las mujeres*. Es lamentable, pero no pude lograr que mi esposo leyera el libro, lo que me trae a mi problema. A decir verdad, es difícil comunicarme con mi esposo cuando tengo que competir con la televisión, los hijos y el trabajo. Durante la hora de la comida, que debería ser un tiempo para hablar, él tiene que escuchar a Paul Harvey en la radio. No está en casa a la hora de la cena porque trabaja el turno de tres a once de la noche. Me gustaría mucho que escuchara su programa *Enfoque a la Familia*, pero no lo quiere escuchar...

Otra mujer me dio la siguiente nota después de escucharme hablar. En unas pocas palabras dice lo que muchas otras mujeres dicen en muchas:

Por favor, hable sobre esto. [Mi esposo] llega a casa, lee el periódico, cena, habla por teléfono, mira televisión, se da una ducha y se acuesta. Esta es una *rutina diaria constante.* Nunca cambia. Los domingos vamos a la iglesia y luego regresamos a casa. Dormimos una siesta y luego vuelve al trabajo el lunes por la mañana. Nuestra hija tiene nueve años, y nosotros no nos estamos comunicando, y la vida pasa volando en esta rutina monótona.

Puedo escuchar a algunos de ustedes diciendo: «Si las mujeres quieren más tiempo disponible para hablar

con sus esposos y compartir, ¿por qué no se lo dicen?».
En realidad, se lo *dicen*. Sin embargo, los esposos (y a
veces las esposas) encuentran que es muy difícil «escuchar»
este mensaje.

Recuerdo una noche en que mi padre predicaba en
un culto de carpa en el que había más perros y gatos que
personas. Durante el curso de su sermón, un enorme
gato callejero decidió tomarse una siesta en la plataforma.
Sin darse cuenta, mi padre dio un paso atrás y puso el
pie sobre la cola del gato. El gato literalmente se enlo-
queció, arañando y tratando de sacar su cola de abajo
del pie de mi padre, que era un hombre alto que medía un
metro y ochenta y ocho centímetros. Con todo, papá
podía sumergirse mucho en su predicación y no notó el
disturbio. Allí, a sus pies, había un animal lleno de pánico,
haciendo agujeros en la alfombra y clamando por mise-
ricordia, pero el pie de mi padre no se movía. Más tarde
papá dijo que pensaba que el ruido provenía de los frenos
de automóviles en una esquina cercana. Al final, mi padre
quitó el pie de la cola del gato, todavía sin darse cuenta
de la conmoción, y el gato salió disparado como un cohete.

Esta historia tipifica a muchos matrimonios modernos.
La esposa grita, araña el aire y se retuerce de dolor, pero
el esposo no se da cuenta de su pánico. Le preocupan sus
propios pensamientos, sin darse cuenta de que un solo
paso hacia la derecha o la izquierda podría aliviar la

crisis. Nunca me deja de sorprender lo sordo que puede llegar a ser un hombre en estas circunstancias.

Conceptos erróneos sobre el matrimonio

Relacionado a este desconcertante dilema, un cónyuge que no habla ni escucha, existe otro problema común que tiene su origen en la niñez. Nuestra cultura les enseña a las niñas que el matrimonio es una experiencia romántica que dura toda la vida; que los esposos amorosos son del todo responsables de la felicidad de sus esposas; que una buena relación entre un hombre y una mujer debería ser suficiente para suplir todas las necesidades y deseos; y que cualquier tristeza o depresión que pueda tener una mujer es culpa de su esposo. O por lo menos, él tiene el poder de erradicarla si le importa lo suficiente. En otras palabras, muchas mujeres estadounidenses van al matrimonio con expectativas románticas irreales que de seguro serán truncadas. Esta forma de pensar no sólo coloca a una novia en la posición de recibir desilusiones y malos ratos en el futuro, sino que también coloca una enorme presión en el esposo para hacer lo imposible.

Es lamentable, pero al hombre del hogar también le enseñaron algunos conceptos erróneos en sus años de formación. Aprendió, tal vez de su padre, que su única responsabilidad es proveerle lo material a su familia.

Debe dedicarse a un negocio o profesión y lograr el éxito a toda costa, subiendo por la escalera del éxito a fin de obtener un estándar de vida cada vez más alto como prueba de su hombría. Nunca le pasa por la mente que debe «ayudar» a su esposa de manera emocional. ¡Por el amor de Dios! Él paga las cuentas de la familia y es un esposo fiel, ¿qué más podría querer una mujer? En sí, no entiende lo que quiere ella.

Es inevitable que estas dos suposiciones contrastantes choquen de frente durante los primeros años de matrimonio. El joven Juan compite como loco en su trabajo, pensado que su esposa aprecia sus logros en forma automática. Y lo que lo espanta es que ella no sólo no nota su esfuerzo, sino que parece resentida con el trabajo que la aleja de ella. «¡Lo hago por ti, nena!», le dice. Aun así, Diana no está convencida de eso.

Al principio, Juan trata de complacer a Diana. Otras veces, se enoja y pelean de palabras. A la mañana siguiente, él se siente muy mal por esas peleas. Poco a poco, su personalidad comienza a cambiar. Detesta los conflictos con su esposa y comienza a retraerse como un medio de evitarlos. Lo que más necesita de su hogar (como la mayoría de los hombres) es *tranquilidad*. Así que encuentra formas de escapismo. Lee el periódico, mira televisión, trabaja en su taller, se va de pesca, corta el césped, juega al golf, trabaja en su escritorio, va a un partido de algún deporte... cualquier cosa para no estar cerca de su hostil esposa. ¿La calma esto a ella? ¡En absoluto! La saca aun más de quicio que no le tengan en cuenta su enojo.

Y aquí está pidiendo atención a gritos y desahogando su hostilidad por los fracasos de su esposo. ¿Y qué recibe a cambio? Él se retrae, se vuelve más silencioso, se aparta. El ciclo se convierte en un círculo vicioso. Cuanto más enojo demuestra ella por su falta de participación, tanto más indiferente se vuelve él. Esto inflama a su esposa con mayor hostilidad. Dijo todo lo que tenía que decir, y no logra ninguna respuesta. Ahora se siente que no puede hacer nada y que no la respetan. Todas las mañanas él se va a su trabajo donde puede desarrollar su vida social con sus amigos, pero ella está metida en este estado emocional de privación.

Desde luego, si ambos cónyuges trabajan, o si la esposa es la que gana el pan de la familia, cambian las dinámicas de la situación. Pero sigue existiendo la necesidad fundamental de conversar y de tener intimidad en el matrimonio, en especial en lo que respecta a la esposa. Sin tener en cuenta las circunstancias, si un cónyuge se siente descuidado por un largo tiempo, puede comenzar a buscar maneras de herir al otro cónyuge como pago. Cuando una relación se ha deteriorado hasta este punto, la idea de intimidad con el cónyuge parece tan extraña como un visitante de Marte.

Sé que pinté una escena sombría de las formas muy comunes en que se puede romper la comunicación en un matrimonio. Con todo, si se reconoce a sí mismo en algunos de los casos anteriores, ¡no pierda la esperanza! Cada uno de nosotros puede mejorar la comunicación en su relación si adoptamos diversas soluciones que han sido probadas por el tiempo.

Restaure el caudal de información

El hombre y la mujer que encuentran que el caudal de información entre ellos está interrumpido, deben hacer un acuerdo. Incluso un hombre que por naturaleza es callado tiene la clara responsabilidad de «alegrar a la mujer que tomó» (Deuteronomio 24:5, RV-60). No debe afirmar que es una «roca» y que no va a permitirse ser vulnerable de nuevo. En su lugar, debe esforzarse a abrir su corazón a fin de expresarle sus sentimientos más profundos a su esposa. Deben apartar tiempo para tener conversaciones significativas. Dar caminatas, salir a desayunar o montar en bicicleta los sábados por la mañana son oportunidades nuevas para conversar que pueden ayudar a mantener vivo el amor. La comunicación puede existir aun cuando el esposo sea introvertido y la esposa extravertida. En estos casos, creo que el esposo es el que tiene la responsabilidad principal de llegar a un acuerdo con su esposa.

En ocasiones deberán hablar de temas difíciles. Si usted está a cargo de las finanzas de la familia, y por no darse cuenta o por necedad ha gastado todo el dinero en la cuenta bancaria, no lo oculte, dígaselo a su cónyuge. Si alguien se le ha insinuado en el trabajo, dígaselo a su cónyuge, aun si le resulta incómodo. A medida que trabajan juntos para encontrar las soluciones a problemas como estos, aumentará la intimidad.

Deben **apartar tiempo** para conversaciones **significativas.**

Si revela sus sentimientos más profundos con sinceridad, con motivos puros, y en forma continua reafirma su compromiso a su matrimonio, su cónyuge se convertirá en su más valioso confidente, protector, consejero y amigo.

Una técnica muy útil para las parejas que procuran mejorar su comunicación es el uso de la descripción vívida que Gary Smalley y John Trent describen en su libro *El irresistible lenguaje del amor.* En uno de sus ejemplos, un profesor de secundaria y entrenador de fútbol llamado Jorge llegaba a su casa todas las tardes demasiado cansado para siquiera hablar con su esposa, Susana, dejándola frustrada y enojada. Por último, Susana le contó a Jorge una historia sobre un hombre que fue a desayunar con sus compañeros entrenadores. El hombre comió su tortilla de huevos favorita, luego recogió algunas de las migajas y las puso en una bolsa de papel. Después fue a almorzar con algunos amigos y comió un gran almuerzo compuesto de pavo y una enorme ensalada. De nuevo, puso algunas migajas en la bolsa para llevárselas consigo. Cuando llegó a su casa esa noche, les entregó a su esposa y a sus dos hijos la bolsa con las sobras.

«Ésa es la forma en que me siento cuanto tú llegas a casa sin nada que darnos», le dijo Susana. «Todo lo que recibimos son sobras. Estoy esperando para disfrutar una comida contigo, esperando que sea un tiempo para conversar y reír y llegar a conocerte, anhelando comunicarme contigo de la forma en que te comunicas con tus amigos. Sin embargo, todo lo que recibimos son bolsas con migajas. Querido, ¿no lo ves? No necesitamos sobras. Te necesitamos a ti».

La descripción vívida de Susana trajo lágrimas a los ojos de Jorge y produjo cambios positivos en su matrimonio[5]. Usted también puede encontrar que una descripción vívida gráfica es más eficaz para conseguir la atención de su cónyuge que un torrente de palabras hostiles.

Otra técnica de comunicación que promueven los autores y consejeros Chuck y Bárbara Snyder es la de «estar listos para escuchar»[6], basada en el siguiente pasaje de las Escrituras: «Todos deben estar listos para escuchar, y ser lentos para hablar y para enojarse» (Santiago 1:19). Después de un desacuerdo, el esposo y su esposa se sientan juntos para explicar sus sentimientos acerca del asunto. La condición es que el otro cónyuge no puede interrumpir. Los cónyuges pueden probar esta técnica y todavía estar en desacuerdo, pero al poder dar su opinión y escuchar atentamente la opinión de su cónyuge aumentarán las posibilidades de comprenderse el uno al otro, y de seguir siendo los mejores amigos.

La **felicidad** es un maravilloso **imán** de la **personalidad**.

Para la esposa que se encuentra atacando y alejando a un hombre que no le responde, existe un método para que se le acerque. Se logra quitando la presión que él tiene encima al no insistir tanto y evitando las quejas y las acusaciones rayadas, mostrando su aprecio por lo que su esposo hace bien y por la felicidad de estar a su lado. La felicidad es un maravilloso imán de la personalidad.

Algunas veces es necesario intercalar cierto «misterio» a la relación a fin de atraer a un cónyuge indiferente. Un comportamiento que demuestra confianza en sí mismo e independencia es mucho más eficaz para atraer la atención que una confrontación.

Recuerdo que aconsejé a una joven inteligente que llamaré Janet. Vino a verme porque le parecía que perdía el amor de su esposo. Frank se veía aburrido cuando estaba en casa, y se negaba a salir con ella. Los fines de semana, salía a navegar con sus amigos a pesar de las amargas quejas de su esposa. Por meses le había rogado que le prestara atención, pero la dejadez continuaba.

Mi hipótesis era que Janet invadía el territorio de Frank y que necesitaba volver a capturar el desafío que hizo que al principio él quisiera casarse con ella. Le sugerí que se retrajera a su propio mundo: que dejara de tratar de «comunicarse» con Frank cuando él estaba en casa, que programara algunas actividades personales sin tener en cuenta la disponibilidad de él, etc. Al mismo tiempo que hacía esto, la insté a que le diera explicaciones vagas acerca del cambio en su personalidad. La instruí a que tampoco demostrara enojo ni descontento, permitiéndole a Frank sacar sus propias conclusiones acerca de lo que ella pensaba. Mi propósito era cambiar el marco de referencias de él. En lugar de que pensara: *¿Cómo puedo escaparme de esta mujer que me está volviendo loco?*, quería que pensara: *¿Qué está pasando? ¿Estoy perdiendo a Janet? ¿La he empujado demasiado? ¿Ha encontrado a otra persona?*

Los resultados fueron fantásticos. Cerca de una semana después de que Janet recibiera las instrucciones de cambiar su manera de actuar, ella y Frank se encontraban en el hogar juntos una noche. Después de varias horas de conversación carente de inspiración y con bostezos, Janet le dijo a su esposo que estaba un poco cansada y que quería irse a acostar. Le dio las buenas noches en forma desapasionada y se fue a su dormitorio. Unos treinta minutos después, Frank abrió la puerta del dormitorio de golpe y encendió las luces. Procedió a hacerle el amor de una manera apasionada, y más tarde le dijo que no podía soportar la barrera que se había levantado entre los dos. Ésa era la misma barrera de la que Janet se había estado quejando por meses. El enfoque de ella había sido tan dictatorial que lo alejaba de ella. Cuando ella cambió de rumbo, Frank hizo lo mismo. Eso es lo que pasa a menudo.

Acepte lo insalvable

Sin embargo, aun cuando se emplean todas estas técnicas de comunicación, algunas personas, casi siempre las esposas, descubrirán que están casadas con un compañero que nunca podrá expresarse ni entender las necesidades descritas. Su estructura emocional hace imposible que entienda los sentimientos y las frustraciones de otra persona, en especial los que ocurren en el sexo opuesto. Ese tipo de esposo no leerá un libro como éste, y es probable que se sienta resentido si lo lee. Nunca se le ha pedido «dar» y no tiene idea de cómo se hace. Entonces, ¿cuál debe ser la reacción de la esposa? ¿Qué hará si a su esposo le falta la perspicacia para ser lo que ella necesita que sea?

Mi consejo es que cambie lo que se puede variar, explique lo que se puede entender, enseñe lo que se puede aprender, revise lo que se puede mejorar, resuelva lo que se puede arreglar y que negocie en lo que pueden llegar a un acuerdo. Cree el mejor matrimonio posible de la materia prima que llevaron dos seres humanos imperfectos con dos personalidades distintas y únicas. No obstante, para todos los bordes ásperos que nunca se podrán suavizar y las faltas que nunca se podrán erradicar, trate de desarrollar la mejor perspectiva y determinar en su mente que debe aceptar la realidad tal como es. El primer principio para la salud mental es aceptar lo que no se puede cambiar. Con gran facilidad usted pudiera quedar destrozada al enfrentar las circunstancias adversas que están más allá de su control. Puede que decida permanecer firme o que ceda a la cobardía. A menudo la depresión es evidencia de que una persona se ha rendido en lo emocional.

Alguien escribió:

La vida no me puede dar gozo y paz;
es cosa mía desearlos.

La vida sólo me da tiempo y espacio,
es cosa mía llenarlos.

¿Puede aceptar el hecho de que su esposo nunca podrá suplir todas sus necesidades y aspiraciones? Muy pocas veces un ser humano satisface todos los anhelos y esperanzas de otra persona. Es obvio que esta moneda tiene dos caras: Usted tampoco puede ser la mujer perfecta para él. Su esposo no es capaz de resolver cada una de sus necesidades emocionales, así como usted tampoco puede convertirse en su sueño de ser una especie de máquina sexual cada veinticuatro horas. Ambos cónyuges tienen que aceptar las debilidades, las faltas, la irritabilidad y la fatiga, y los ocasionales «dolores de cabeza» nocturnos. Un buen matrimonio no es una relación en la que reina la perfección; es una relación en la que una perspectiva saludable pasa por alto una multitud de asuntos insalvables. ¡Gracias a Dios que mi esposa, Shirley, ha adoptado esta actitud hacia a mí!

Procure comprender

- ¿De qué formas se comunican bien usted y su cónyuge? ¿En qué aspectos luchan? Hablen sobre cómo los dos pueden llegar a un acuerdo a fin de mejor la comunicación en su matrimonio.

- ¿Es usted víctima de algunos de los «conceptos erróneos sobre el matrimonio»? ¿Cómo ha afectado esto su relación con su cónyuge, y qué puede hacer al respecto?

- ¿Ha observado con cuidado, desde el punto de vista de su cónyuge, las dificultades para comunicarse que existen en su matrimonio? Decida lo que puede hacer por su cuenta con el propósito de mejorar su situación, y si existen algunas realidades que debe aceptar tal cual son.

Factor

5

La comprensión del amor

*Como llama divina
es el fuego ardiente del amor.*
CANTAR DE LOS CANTARES 8:6

Nunca olvidaré el primer Día de los Enamorados de mi matrimonio, seis meses después que Shirley y yo nos casáramos. Fue algo que se podría catalogar de desastre. Esa mañana fui a la biblioteca de la Universidad del Sur de California para hacer investigaciones usando polvorientos libros y revistas de medicina. No recordaba que era el 14 de febrero.

Lo que es peor, ni siquiera estaba al tanto de los preparativos que se llevaban a cabo en mi hogar. Shirley preparó una cena muy buena, horneó una torta rosada en forma de corazón y le escribió arriba «Feliz Día de los Enamorados», colocó varias velas rojas en la mesa, envolvió un pequeño regalo que me compró y escribió una notita de amor en una tarjeta especial. El escenario estaba listo. Me recibiría en la puerta con un beso y un abrazo. Sin embargo, allí estaba yo, en el otro lado de la ciudad de Los Ángeles, feliz y contento sin darme cuenta de la tormenta que se avecinaba.

A eso de las ocho de la noche sentí mucha hambre y ordené una hamburguesa en la cafetería de la universidad. Después de comer, caminé hasta donde había estacionado mi Volkswagen y me dirigí a mi hogar. Entonces cometí un error que me pesaría por mucho tiempo: Me detuve para visitar a mis padres, que vivían cerca de la autopista. Mi mamá me recibió con mucho cariño y me sirvió un pedazo grande de pastel de manzanas. Eso selló mi destino.

Cuando al fin abrí la puerta de mi casa a las diez de la noche, al instante supe que algo andaba terriblemente mal. (Soy muy perspicaz en cuanto a sutilezas como esas). El apartamento estaba oscuro y había un silencio sepulcral. Sobre la mesa había una cena fría colocada en nuestra mejor vajilla. Las velas a medio quemar se encontraban apagadas en sus candelabros de plata. Parecía que había olvidado algo importante. ¿Pero qué era? Entonces me di cuenta de las decoraciones rojas y blancas en la mesa. *¡Ay, no!*, pensé.

Así que me quedé allí, de pie en medio de nuestra sala en la penumbra, sintiéndome como un miserable. Ni siquiera tenía una tarjeta del día de los enamorados, mucho menos un regalo apropiado para Shirley. Ningún pensamiento romántico me había cruzado por la mente en todo el día. Ni siquiera podía aparentar que quería comer la comida fría y seca que estaba ante mí. Después de un breve torrente de palabras y algunas lágrimas, Shirley se fue a acostar y se tapó la cabeza con las sábanas. Hubiera dado mil dólares por una explicación verdadera y admisible de mi negligencia. Aun así, no había ninguna excusa. No hubiera ayudado decirle: «Pasé por la casa de mi mamá y me dio un gran pedazo de pastel de manzanas. Estaba riquísimo. Deberías haber estado allí».

Por fortuna, Shirley no sólo es una persona romántica, sino que también es perdonadora. Más tarde esa noche hablamos sobre mi falta de sensibilidad y llegamos a un acuerdo. Aquel Día de los Enamorados aprendí una gran lección y me hice el propósito de nunca olvidarla. Una vez que entendí la forma en que mi esposa es diferente a mí, sobre todo en las cosas románticas, comencé a hacer lo que se esperaba de mí.

Debe **atender** su «**llama**» del amor con el mejor **cuidado.**

Para que la intimidad prospere en un matrimonio es esencial cultivar un sentido del romance. No obstante, el romance entre esposo y esposa es precario. Al igual que la llama de una sola vela que ondea al viento, puede titilar y apagarse. Debe atender su «llama» del amor con el mejor cuidado... el Día de los Enamorados y todos los días del año.

«Yo soy de mi amado, y mi amado es mío»

La palabra *romance* nos trae a la mente diferentes clases de imágenes a cada uno de nosotros, y también varían nuestras expectativas de lo que constituye una relación romántica. La mujer tiene la tendencia a describir el romance como las cosas que su compañero hace por ella que la hacen sentirse amada, protegida y respetada. Las esposas, en especial si el esposo es un hombre muy ocupado, ansían la emoción de encuentros románticos. Anhelan «una noche de encantamiento en un lugar lleno de gente». Las flores, los cumplidos, el toque no sexual y las notas de amor son pasos que van en esa dirección. También lo es ayudar en las tareas del hogar. Un hombre que participa en las tareas de cocinar, limpiar y recoger a los hijos después de la práctica de baloncesto tiene muchas más posibilidades de ganarse el afecto de su esposa.

Por otro lado, los hombres confían más en sus sentidos en la esfera del romance. Aprecian a una mujer que trata de ser lo más atractiva posible para él. El hombre quiere que su esposa le respete, y aun más, le admire. Le gusta escuchar a su esposa expresar verdadero interés en sus opiniones, pasatiempos y trabajo.

Tal vez las descripciones más evocadoras del amor romántico vienen del Cantar de los Cantares de Salomón, donde vemos que incluye tanto la intimidad como la excitación emocional: «Mi amado es mío, y yo soy suya» (2:16), y «¡Se estremecieron mis entrañas al sentirlo!» (5:4). Vemos cómo un afecto profundo inspira el deseo y el aprecio total por el otro: «¡Cuán bella eres, amada mía!» (4:1). Aprendemos que ser romántico significa perseguir al objeto de nuestro amor y añorarlo cuando nos elude: «Por las noches, sobre mi lecho, busco al amor de mi vida; lo busco y no lo hallo» (3:1). Y vemos que se comunica de forma poderosa el amor romántico en un despliegue público de afecto: «Me llevó a la sala del banquete, y sobre mí enarboló su bandera de amor» (2:4).

Aunque el romance puede significar diversas cosas para cada uno de nosotros, para la mayoría la palabra describe el maravilloso sentimiento de que le noten, le quieran y persigan, de estar en el mismo centro de la atención de nuestro amado. Por lo general, la mayoría de las parejas mantienen este tipo de romance durante su noviazgo y, al menos, en la etapa de la luna de miel del matrimonio. Sin embargo, a medida que pasan los años y se agregan nuevos deberes y responsabilidades, con mucha frecuencia ese sentimiento romántico comienza a desvanecerse.

La emoción de la persecución

Ya sea unos pocos días, semanas o meses después de la boda, algo comienza a sucederle a ese «sentimiento amoroso». El hombre y la mujer parecen comenzar a perder la brisa que impulsa las velas románticas de su velero. No siempre ocurre, pero sí sucede con mucha frecuencia.

Su situación me recuerda a los marineros allá por los días de los buques de vela. Los marineros en esa época tenían muchas cosas que temer, incluyendo piratas, tormentas y enfermedades. Con todo, su mayor temor era que su embarcación se encontrara con las zonas de las calmas ecuatoriales. Estas zonas cerca del Ecuador se caracterizan por vientos suaves y de muy poco cambio. Esto podía significar la muerte para toda la tripulación. Se les acabaría el abastecimiento de agua y comida mientras iban a la deriva por días, o aun semanas, esperando que una brisa los sacara de ese curso.

Pues bien, a los matrimonios que una vez fueran emocionantes y amorosos también les pueden atrapar las «zonas de calmas románticas», que pueden causar la muerte lenta y dolorosa de la relación. Sin embargo, no es preciso que sea así. El autor Doug Fields, en su libro *Creative Romance*, escribe: «Salir y galantear a su esposa logra cambiar esos patrones y puede ser algo muy divertido. Desde luego, no hay un arreglo rápido para un matrimonio estancado, pero puede dejar de lado las excusas y comenzar a ser de nuevo el novio de su enamorada»[7]. Es más, tal vez quiera comenzar a pensar de nuevo como cuando era adolescente. Se lo explicaré.

Recuerde, por un momento, la locura de sus días de noviazgo: las actitudes tímidas, el galanteo, las fantasías, el perseguir lo que quería. A medida que pasamos del noviazgo al matrimonio, casi todos sentimos que debemos crecer y dejar los juegos atrás. Con todo, tal vez no hemos madurado tanto como nos hubiera gustado.

De algunas formas, nuestras relaciones románticas siempre van a tener algunas características de nuestra sexualidad adolescente. A los adultos todavía les gusta la emoción de la persecución, el atractivo de lo que no se puede conseguir, la excitación de lo nuevo y el aburrimiento con lo viejo. Por supuesto que los impulsos inmaduros se controlan y disminuyen en una relación comprometida, pero nunca desaparecen por completo.

Esto podría ayudarle a mantener la vitalidad en su matrimonio. Cuando las cosas pierden la novedad entre usted y su cónyuge, tal vez debería recordar algunos viejos trucos. ¿Qué le parece desayunar en la cama? ¿Darse un beso en la lluvia? ¿Leer juntos esas antiguas cartas de amor? ¿Pasar una noche en un hotel? ¿Tostar malvaviscos sobre una fogata? ¿Cocinar juntos una comida que nunca han preparado antes? ¿Una llamada telefónica a mediodía? ¿Una rosa de tallo largo y una nota de amor? Hay docenas de maneras de hacer que las velas tomen viento de nuevo.

Recuerdo una ocasión, muchos años después de aquel desafortunado Día de los Enamorados, cuando Shirley y yo exploramos lo que llamamos nuestros «viejos lugares favoritos». Tomamos libre un día completo y comenzamos en el mercado donde venden los granjeros, en el que caminamos como jóvenes enamorados. Luego almorzamos sin prisa en un restaurante favorito y hablamos de cosas que pasaron hacía mucho tiempo. Después de eso vimos una obra de teatro en el *Pasadena Playhouse*, donde fuimos la segunda vez que salimos juntos, y más tarde comimos pastel de cerezas y tomamos café en el restaurante *Gwinn's*, que es un lugar preferido por las parejas de novios. Hablamos de nuestros recuerdos agradables y revivimos la emoción de días pasados. Fue una maravillosa repetición.

En otra ocasión, cuando estuve fuera del hogar y lejos de Shirley y de mis hijos durante dos semanas, le planeé una pequeña sorpresa. Le pedí que estuviera lista para salir a cenar cuando yo llegara al aeropuerto. Luego llamé a la madre de Shirley y le pedí que estuviera preparada para pasar la noche con nuestros hijos, pero que le hiciera creer a Shirley que iban a regresar a casa tarde.

Después que fuimos a cenar y al teatro esa noche, conduje mi automóvil a una comunidad balnearia donde había hecho reservaciones en un hotel. Shirley no se dio cuenta de lo que pasaba hasta que abrí la puerta y la invité a que me siguiera. Esa noche todavía es un recuerdo favorito para los dos. (¿Lo ve? ¡He aprendido un poquito a través de los años!)

Disfruten juntos su propia clase de romance.

Aun cuando el presupuesto es apretado, el solo hecho de estar junto a su cónyuge puede volver a encender esos sentimientos de amor. Todo lo que se necesita es un poco de esfuerzo y don creativo. Hable con su cónyuge, pregúntele qué es lo que le traería nuevo interés y emoción a su matrimonio. Luego disfruten juntos su propia clase de romance.

Cómo se ama a un hombre

Se ha dicho mucho en décadas recientes acerca de la responsabilidad de un hombre de reconocer las necesidades de romance que tiene su esposa. Y con razón. ¿Pero qué debería hacer una mujer por un hombre que le pueda comunicar amor de una forma muy clara? En pocas palabras, puede edificar su confianza en sí mismo.

Este papel vital lo ilustra mejor una de mis historias favoritas relatadas por mi amigo, el doctor E.V. Hill. El doctor Hill es un dinámico hombre de raza negra que es pastor principal de la iglesia misionera bautista *Mount Zion* en la ciudad de Los Ángeles. Su amada esposa, Jane, murió de cáncer hace algunos años. En uno de los mensajes más conmovedores que escuchara jamás, el doctor Hill habló acerca de Jane en su funeral y describió las formas en que esa «mujer con clase» le convirtiera en un hombre mejor.

Cuando era un joven predicador, a E.V. le costaba trabajo ganarse la vida. Eso hizo que invirtiera los escasos recursos de la familia, a pesar de las objeciones de Jane, para comprar una estación de servicio. Sentía que su esposo no tenía el tiempo ni la experiencia para supervisar su inversión, lo que probó ser cierto. Al final, la estación se arruinó y E.V. perdió todo lo que tenía en ese negocio.

Ése fue un tiempo crítico en la vida de ese joven. Fracasó en algo importante, y su esposa hubiera estado justificada en decirle: «Te lo dije». Sin embargo, Jane tenía una comprensión intuitiva de la vulnerabilidad de su esposo. Por lo tanto, cuando E.V. la llamó para decirle que había perdido todo en la estación de servicio, solo le respondió: «Está bien».

E.V. llegó a su hogar esa noche esperando que su esposa se quejara de su insensata inversión. En su lugar, Jane se sentó a su lado y le dijo: «He estado sacando algunas cuentas. Tú ni fumas ni bebes. Si fumaras y bebieras, habrías perdido tanto como has perdido en la estación de servicio. Así que, una cosa por otra, olvidemos esto».

Jane podía haber destrozado la confianza de su esposo en ese momento crucial. El ego masculino es frágil en gran manera, sobre todo durante tiempos de fracaso y vergüenza. Eso era lo que E.V. necesitaba escuchar de labios de ella: «Todavía tengo confianza en ti», y ése es justamente el mensaje que ella le dio a él.

Poco tiempo después del fracaso con la estación de servicio, E.V. llegó a su hogar una noche y encontró que la casa estaba a oscuras. Cuando abrió la puerta, vio que Jane había preparado una cena para dos a la luz de las velas.

«¿Qué significa esto?», le preguntó con su característico buen humor.

«Bueno», dijo Jane, «esta noche vamos a cenar a la luz de las velas».

E.V. pensó que ésa era una buena idea y fue al baño a lavarse las manos. Trató de encender la luz y no tuvo éxito. Entonces fue a tientas al dormitorio y trató de encender otro interruptor, pero la oscuridad no se disipó. El joven pastor regresó al comedor y le preguntó a Jane por qué no había electricidad. Ella comenzó a llorar.

«Tú trabajas muy duro y estamos tratando de salir adelante», le dijo Jane, «pero es bastante difícil. No tuve suficiente dinero para pagar la cuenta de la electricidad. No quería que lo supieras, así que pensé que podíamos comer a la luz de las velas».

El doctor Hill describió las palabras de su esposa con intensa emoción: «Podría haber dicho: "Nunca he estado en una situación como ésta antes. Me crié en la casa del doctor Caruthers y a nosotros nunca nos cortaron la electricidad". Podía haber quebrantado mi espíritu; me podía haber destrozado; me podía haber desmoralizado. En cambio, dijo: "De alguna u otra forma lograremos pagar la cuenta, pero esta noche cenemos a la luz de las velas"».

Jane Hill debe haber sido una mujer maravillosa. De sus muchos dones y atributos, lo que más me impresiona es que estaba consciente del papel que desempeñaba en fortalecer y apoyar a su esposo. E.V. Hill es un poderoso líder cristiano hoy. ¿Quién hubiera creído que necesitaba que su esposa edificara y preservara su confianza? Con todo, así es como están hechos los hombres. La mayoría de nosotros somos un poco inseguros por dentro, en especial durante los primeros años de adultos, y necesitamos amor tanto como cualquier otra persona.

El arte de hacer el amor

Cuando un esposo y una esposa logran la verdadera intimidad, por supuesto que desearán compartir estos sentimientos románticos al nivel más profundo. Por diseño de Dios, una de las maneras más placenteras que las parejas tienen para expresar su profundo amor y aprecio es a través del don de la intimidad sexual.

Algunas personas dirían que «tener relaciones sexuales» y «hacer el amor» son lo mismo, pero hay una diferencia importante entre los dos. El acto físico de las relaciones sexuales lo pueden realizar todos los miembros del reino animal que se aparejan como es debido. Sin embargo, el arte de hacer el amor, como Dios tuvo la intención que fuera, es una experiencia mucho más significativa y compleja. Es física, emocional y espiritual. En el matrimonio no nos deberíamos conformar con algo menos que una relación sexual que no sólo se expresa de cuerpo a cuerpo, sino de corazón a corazón y de alma a alma. Esta unión íntima, de dos que llegan a ser «una sola carne», es tanto el símbolo como el fruto de un amor autentico y romántico entre un esposo y su esposa.

La personificación del profundo amor romántico, y esto incluye la intimidad sexual, sólo se puede expresar dentro del inquebrantable vínculo del matrimonio. Ya hemos leído algunas de las descripciones de Salomón sobre el romance. Su Cantar de los Cantares termina con esta elocuente descripción de la unión entre dos amantes casados: «Fuerte es el amor, como la muerte, y tenaz la pasión, como el sepulcro. Como llama divina es el fuego ardiente del amor» (8:6).

La personificación del **profundo amor** romántico [...]

sólo se puede **expresar** dentro del

inquebrantable vínculo del matrimonio.

Este apasionado, romántico e íntimo amor en lo sexual no se logra de la noche a la mañana. Se desarrolla entre un hombre y una mujer a través del proceso llamado *lazos matrimoniales*. Este tipo de lazo se refiere al compromiso emocional que une a un hombre y a una mujer para toda la vida y los hace de un inmenso valor el uno al otro. Este vínculo especial es el que hace que esa pareja sea única entre todas las demás parejas en la faz de la tierra. Es el don de Dios del compañerismo íntimo.

¿Cómo ocurre este tipo de lazo matrimonial? De acuerdo con la investigación del doctor Desmond Morris, este lazo sucede con más probabilidades entre los que se mueven de forma sistemática y lenta a través de doce pasos durante su noviazgo y los primeros años de matrimonio. Estos pasos comienzan con la conexión visual, luego progresan a la conversación, entonces a varios pasos de toque no sexual y, al final, a las últimas cuatro etapas que son particularmente sexuales y privadas, reservadas para el matrimonio, y que culminan con la relación sexual[8].

Lo que muestra la investigación del doctor Morris es que la intimidad debe proceder con lentitud si una relación entre un hombre y una mujer va a lograr todo su potencial. Cuando dos personas se aman de manera profunda y están comprometidas para toda la vida, casi siempre han desarrollado un gran nivel de comprensión entre sí que cualquier otro consideraría insignificante. Poseen innumerables recuerdos privados que desconoce el resto del mundo. En gran parte, aquí es donde se origina el sentimiento de que el otro ser es especial. Cuando las relaciones sexuales ocurren sin los pasos que las deben preceder, la mujer en especial tiende a sentirse usada y abusada.

Si es casado y ahora lamenta que progresó con demasiada rapidez hacia la intimidad sexual, no es muy tarde para volver al mismo principio y redescubrirse el uno al otro de nuevo. No sé ninguna otra forma mejor de acercarse a la persona que ama. Tocarse y hablar y tomarse de la mano y mirarse a los ojos el uno al otro y construir recuerdos a menudo son las mejores formas de darle nuevo vigor a una vida sexual cansada y de renovar la intimidad.

A decir verdad, los hombres en particular actuarían con sensatez si reconocieran que debido a las diferencias psicológicas y emocionales críticas entre los hombres y las mujeres, el deseo sexual de una mujer se despierta mediante estos tipos de actividades relacionales. A menos que una mujer sienta una cierta proximidad a su esposo, a menos que sienta que la respeta como persona, tal vez no pueda disfrutar de un encuentro sexual con él. Un hombre puede contribuir en gran medida al disfrute sexual de su esposa, mientras que aumenta el propio, prestándole tiempo y atención a las necesidades emocionales de ella. Debería dedicarle bastante tiempo al romance fuera del dormitorio. Debería entender que la fatiga es un «inhibidor» sexual y debería ayudar a su esposa a encontrar oportunidades para la restauración física y emocional. Y recibirá grandes recompensas cuando haga todo lo posible por edificar la autoestima de ella. La fuerte conexión que existe entre el amor propio y la habilidad de responder a estímulos sexuales significa que todo lo que un hombre haga para reducir la autoestima de su esposa es probable que resulte en problemas en el dormitorio. La confianza que tiene en sí misma aumentará cuando él le muestre respeto y le preste apoyo moral, y eso conducirá a una vida sexual más satisfactoria[9]. El Señor estableció la institución del matrimonio y nos ha dado el don de la intimidad sexual como una expresión de mostrar amor entre un esposo y su esposa. Tal como lo diseñó Él, la relación sexual en el matrimonio es mucho más que una idea tardía o un método para garantizar la procreación. Cuando se caracteriza por el respeto, la ternura y el afecto mutuo, es la demostración por excelencia del amor romántico y profundo entre un hombre y una mujer. También es el pegamento que mantiene unido al matrimonio.

Sin importar la forma en que usted defina y exprese el romance, ya sea mediante flores, notas de amor y una noche en el dormitorio, o todas estas cosas, el romance es un ingrediente vital para lograr intimidad genuina y duradera en su matrimonio. Si tiene el cuidado de mantener y proteger la llama del romance en su relación, disfrutará de su calidez para toda la vida.

Renueve el romance en su matrimonio

- Escriba lo que significa para usted el romance, y pídale a su cónyuge que haga lo mismo. Luego compare las notas. Tal vez le sorprenda lo que escribió su cónyuge.

- ¿Cuáles son los recuerdos favoritos de romance con su cónyuge? ¿Cómo los podría recuperar? ¿Qué nuevos recuerdos le gustaría formar? Ponga en su calendario por lo menos dos de ellos en los próximos dos meses.

- ¿Con cuánta frecuencia usted y su cónyuge pasan por los doce pasos de la intimidad? Separe un día tranquilo, una tarde o un fin de semana para hacerlo, y préstenle atención especial a cada paso mientras juntos disfrutan de ese tiempo.

Epílogo

En este pequeño libro hemos hablado sobre muchos aspectos de la intimidad en el matrimonio. Espero que ahora tenga una comprensión más profunda de la complejidad y la fragilidad de una relación de corazón a corazón con su cónyuge. También es mi oración que haya encontrado consejos bíblicos y prácticos y verdadera ayuda en estas páginas. Aunque la intimidad no se logra ni se mantiene con facilidad, puedo hablar por experiencia personal que edificar una relación íntima con su «compañero del alma» es una de las experiencias más satisfactorias que encontrará en el mundo. Siempre estaré agradecido que el Señor me guiara a Shirley, y que la guiara a ella a mí.

Con la esperanza de que lo alentaré, quiero dejarle esta descripción de la intimidad que mi esposa y yo hemos disfrutado durante nuestros cuarenta y cuatro años de matrimonio. Es una carta que escribí en un seminario para matrimonios en el que participamos hace mucho tiempo. Ese fin de semana descubrimos una oculta clase de tensión que Shirley no me había expresado y que yo no sabía que existía. Era algo relacionado con la reciente muerte de ocho personas mayores de nuestra pequeña familia, seis de los cuales eran hombres. Mi esposa había observado la lucha de los sobrevivientes para enfrentar la vida solos, y las tremendas consecuencias de la viudez repentina. Debido a que Shirley y yo teníamos unos cuarenta y cinco años en ese entonces, ella se preocupaba en silencio por la posibilidad de perderme, y quería saber qué iba a pasar después. Mi amada esposa también se decía: *Sé que Jim me necesitaba cuando éramos más jóvenes y luchaba para establecerse como profesional. ¿Pero tengo todavía un lugar prominente en su corazón?*

La verdad es que uno no se sienta a hablar sobre estos asuntos delicados, cara a cara, en medio de los apuros y ajetreos de la vida diaria. Se mantienen dentro hasta que (y si) se provee una oportunidad para expresarlos. Eso nos ocurrió a Shirley y a mí, cuando seguíamos el programa del seminario para matrimonios. Al principio de ese fin de semana, tratamos el caso de la posibilidad de mi muerte. Luego, en la mañana final, el asunto de mi amor continuo por ella quedó aclarado por completo.

Shirley estaba sola en nuestro cuarto del hotel, expresando su preocupación privada en una carta dirigida a mí. Y por dirección divina, estoy seguro, yo estaba en otro lugar tratando sobre el mismo asunto, aunque no lo habíamos discutido. Cuando nos reunimos y renovamos nuestro compromiso para el futuro, sin saber lo que éste nos traería, Shirley y yo experimentamos uno de los momentos de más emoción en nuestras vidas. Fue una experiencia cumbre de nuestros veintiún años juntos, y ninguno de los dos la olvidará jamás.

Aunque requerirá que manifieste una declaración muy personal entre mi esposa y yo, quiero concluir con una parte de la carta que le escribí esa mañana memorable. No voy a incluir los detalles más íntimos, citando sólo los recuerdos que «me unieron» a mi esposa.

¿Qué otra persona tiene en común los recuerdos de mi juventud durante la cual se colocó el fundamento del amor? Te pregunto: ¿quién más podría ocupar el lugar que está reservado para la única mujer que estuvo allí cuando me gradué de la universidad, serví en el ejército, regresé para estudiar en la Universidad del Sur de California, compré mi primer buen automóvil (que muy pronto choqué), con quien escogí un anillo de bodas no muy caro (por el cual pagué con bonos de ahorro) y oramos y le dimos gracias a Dios por lo que teníamos? Luego repetimos nuestros votos matrimoniales y mi papá oró: «Señor, tú nos diste a Jimmy y a Shirley como niños para amarlos, apreciarlos y criarlos por un tiempo, y esta noche, te los devolvemos después de cumplir con nuestra labor de amor, no como dos individuos separados, sino como uno». Y todo el mundo lloró.

Luego nos fuimos para la luna de miel, gastamos todo el dinero que teníamos y regresamos a nuestro apartamento lleno de arroz y con una campana sobre la cama, y ése fue sólo el comienzo. Tú enseñaste una clase de segundo grado y yo enseñé (y me enamoré) de un grupo de niños de sexto grado, en especial de un niño llamado Norbert, y obtuve mi maestría, pasé los exámenes requeridos para obtener un doctorado, compramos nuestra primera pequeña casa, la remodelamos, yo le quité todo el césped y lo enterré en un hoyo de unos tres metros, que más tarde se hundió, y parecía que había dos tumbas en nuestro jardín; y que mientras alisaba la tierra para plantar de nuevo el césped, por accidente «planté» ocho millones de semillas de fresno, y dos semanas después descubrimos que teníamos un bosque creciendo entre nuestra casa y la calle.

Después, tú tuviste nuestro primer bebé y la amamos muchísimo y la llamamos Danae Ann, y construimos un cuarto en nuestra pequeña casa y en forma gradual lo llenamos de muebles. Luego me uní al personal del Hospital Infantil, y aunque me fue bien allí, todavía no tenía suficiente dinero para pagar por nuestros gastos educativos en la universidad del Sur de California y otros gastos, así que vendimos (y nos comimos) nuestro Volkswagen. Luego obtuve el doctorado en filosofía y lloramos y le dimos gracias a Dios por lo que teníamos. En 1970, trajimos a nuestro hogar a un varoncito y le pusimos por nombre James Ryan, y lo amamos mucho y no dormimos por seis meses. Y yo trabajé en un manuscrito titulado «Atrévase a» alguna cosa y luego me sentí anonadado con el diluvio de respuestas favorables y unas pocas no tan favorables, recibí un pequeño cheque por derechos de autor y pensé que era una fortuna, y me uní a la facultad de medicina de la universidad y me fue bien allí.

Muy pronto me encontré recorriendo de arriba abajo los pasillos del *Huntington Memorial Hospital* mientras un equipo de neurólogos de rostros serios te examinaban el sistema nervioso buscando evidencias de un tumor en el hipotálamo, y oré y le rogué a Dios que me permitiera completar mi vida con mi mejor amiga, y al final Él dijo: «Sí... por ahora», y lloramos y le dimos gracias a Él por lo que teníamos. Y compramos una nueva casa y enseguida la comenzamos a reconstruir, nos fuimos a esquiar a Vail, Colorado, y tú te lastimaste mucho una pierna, y yo llamé a tu madre para contarle del accidente y ella me censuró mucho, y nuestro hijo Ryan, que apenas comenzaba a caminar, casi arruina por completo la ciudad de Arcadia. Y la construcción de la casa parecía no terminar nunca y tú, de pie en medio de la sala hecha pedazos, llorabas todos los sábados por la noche porque tan poco se había logrado. Entonces, cuando la casa estaba en el peor estado, cien de nuestros amigos nos dieron una fiesta sorpresa de bienvenida a la casa, y se deslizaron entre los escombros, el barro, el aserrín, los tazones de cereal y los pedazos de sándwiches, y al día siguiente, tú gemiste y preguntaste: «¿Sucedió en realidad?».

Y yo publiqué un nuevo libro titulado *Hide or Seek* [en español se publicó con el título *Criemos niños seguros de sí mismos*] y todo el mundo lo llamó *Hide and Seek*, y la editorial nos mandó a Hawai, y de pie en el balcón que daba a la bahía, le dimos gracias a Dios por lo que teníamos. Y publiqué *Lo que las esposas quieren* y a la gente le gustó, y los honores me llegaron y con ellos cientos de pedidos para que hablara.

Luego tú te sometiste a una operación riesgosa y yo dije: «Señor, ahora no», y el doctor nos dijo: «No es cáncer», y lloramos y le dimos gracias a Dios por lo que teníamos. Entonces comencé un programa radial y pedí una licencia del hospital infantil y abrí una pequeña oficina en Arcadia que llamé Enfoque a la Familia, la cual un radioescucha de tres años llamó «Toque a la Familia», y la gente comenzó a notarnos.

Entonces fuimos a Kansas City para disfrutar de unas vacaciones familiares, y el último día mi papá oró: «Señor, sabemos que no siempre puede estar todo de la manera maravillosa que está ahora, pero te damos gracias por el amor que disfrutamos hoy». Un mes después, él tuvo un ataque al corazón y en el mes de diciembre le dije adiós a mi querido amigo, y tú pusiste tus brazos alrededor de mí y me dijiste: «Sufro contigo», y yo lloré y te dije: «Te amo». Invitamos a mi mamá para que pasara seis semanas con nosotros durante el período de su recuperación y los tres pasamos la Navidad más solitaria de nuestras vidas porque la silla vacía y el lugar vacío nos recordaban su suéter rojo, los dominós, las manzanas, la pila de libros sofisticados y del pequeño perro llamado Benji que siempre se sentaba sobre sus rodillas. Sin embargo, la vida continuó. Mi madre luchó para recuperarse, pero no lo logró, perdió unos ocho kilos de peso, se mudó para California y todavía sufría extrañando a su amigo perdido.

Y escribí más libros, y llegaron más honores, nos hicimos más conocidos, nuestra influencia se esparció y le dimos gracias a Dios por lo que teníamos. Y nuestra hija llegó a la adolescencia y esta gran autoridad sobre los hijos supo que era inadecuado y se encontró pidiéndole ayuda a Dios en la imponente tarea de criar a los hijos, y Él se la dio, y le dimos gracias por darnos de Su sabiduría a nosotros.

Y un pequeño perro llamado Siggie, que era medio salchicha, envejeció y perdió los dientes, y tuvimos que dejar que el veterinario hiciera lo que tenía que hacer, y una aventura de amor de quince años entre un hombre y un perro terminó con un gemido. Entonces una cachorrita llamada Mindy llegó a la puerta de nuestra casa y la vida continuó. Entonces se produjeron una serie de películas en la ciudad de San Antonio, Tejas, y nuestro mundo se complicó mientras nos arrojaban a un lugar a la vista de todo el mundo y «Toque a la Familia» se expandió en direcciones nuevas y la vida se hizo más ocupada y agitada, y el tiempo se hizo más precioso, y luego alguien nos invitó a un retiro para matrimonios de un fin de semana, que es donde estoy en este momento.

¡Así que te pregunto! ¿Quién va a ocupar tu lugar en mi vida? Tú te has convertido en mí, y yo me he convertido en ti. Somos inseparables. A esta altura he pasado el cuarenta y seis por ciento de mi vida contigo, y no me puedo acordar mucho del primer cincuenta y cuatro por ciento. Nadie puede comprender ninguna de las experiencias anotadas, sino la mujer que las vivió conmigo. Esos días pasaron, pero su fragancia perdura en nuestras mentes. Y con cada acontecimiento durante estos veintiún años, nuestras vidas han llegado a estar más entretejidas, han llegado a formar este increíble amor que siento por ti hoy.

¿Es de maravillarse que puedo leer tu rostro como un libro cuando estás en medio de una multitud? El menor fruncimiento de tus ojos me habla con toda claridad acerca de los pensamientos que cruzan por tu experiencia consciente. Cuando abres los regalos de Navidad, al instante sé si te gusta el color o el estilo del regalo, porque no me puedes ocultar tus sentimientos.

Te amo, S.M.D. (¿Recuerdas la blusa con el monograma?) Amo a la muchacha que creyó en mí antes que yo creyera en mí mismo. Amo a la muchacha que nunca se quejó por las enormes cuentas de los estudios y los libros, los apartamentos sin aire acondicionado, los dilapidados muebles alquilados, no salir de vacaciones y un pequeño y humilde Volkswagen. Tú has estado *conmigo*, alentándome, amándome y apoyándome desde el 27 de agosto de 1960. Y la posición que me has dado en nuestro hogar va más allá de lo que yo merezco.

Entonces, ¿por qué quiero seguir viviendo? Porque te tengo a ti para compartir esa trayectoria conmigo. De otra forma, ¿por qué hacer el viaje? La mitad de la vida que está por delante promete ser más difícil que los años que pasamos. Es la ley de la vida que mi madre un día se va a reunir con mi padre, y luego la enterraremos a su lado en Olathe, Kansas, donde hay una colina azotada por el viento en la que mi padre caminó con Benji, y grabó un casete para mí describiendo la belleza de ese lugar. También tendremos que decirles adiós a tu mamá y a tu papá. Ya no jugaremos a los juegos de mesa ni al ping-pong, ni a los dardos, ni se escuchará más la risa de Joe, ni disfrutaremos de las maravillosas cenas de jamón de Alma, ni recibiremos las bellas tarjetas de cumpleaños subrayadas que ella nos manda, ni iremos a la pequeña casa amarilla en Long Beach. Todo dentro de mí grita: «¡No!». Aun así, la oración final de mi padre todavía rige: «Sabemos que no siempre todo puede ser igual que ahora». Cuando llegue ese tiempo, tu niñez y la mía serán truncadas, cortadas por la muerte de los amados padres que nos dieron la vida.

¿Y entonces qué, mi querida esposa? ¿A quién me volveré buscando solaz y consuelo? ¿A quién le puedo decir: «Estoy sufriendo» y saber que me comprende más que de forma abstracta? ¿A quién me puedo volver cuando las hojas del verano comienzan a cambiar de color y caen? He disfrutado mucho la primavera y el calor del sol del verano. Las flores, el verde césped, el cielo azul y los claros arroyos se han disfrutado a plenitud. Con todo, he aquí que el otoño está llegando. Aun ahora puedo sentir un poco de frescor en el aire, y trato de no mirar a la nube distante y solitaria que pasa cerca del horizonte. Debo enfrentar el hecho de que el invierno está por delante, con el hielo, la cellisca y la nieve que nos calan. Aunque en este caso, al invierno no le seguirá la primavera, excepto en la gloria de la vida por venir. ¿Con quién, pues, pasaré la estación final de mi vida?

Con nadie sino tú, Shirley. El único gozo del futuro será en experimentarlo como lo hemos hecho los pasados veintiún años: tomado de la mano con la persona que amo... una joven llamada Shirley Deere, quien me dio todo lo que tenía, incluyendo su corazón.

Gracias, mi amor, por hacer este viaje conmigo. Terminémoslo... ¡juntos!

Tu Jim

Cinco factores esenciales para la intimidad que dura toda la vida

1. Establecimiento del hogar centrado en Cristo

2. El cultivo del compromiso para toda la vida

3. La edificación de la confianza juntos

4. La búsqueda de la comprensión

5. La renovación de su romance

Notas

1. Divorce, Provisional 1998 data, *National Center for Health Statistics*, http://www.cdc.gov/nchs/fastats/divorce.html; accedido el 13 de enero de 2003.

2. Robertson McQuilkin, *A Promise Kept*, Tyndale House Publishers, Wheaton, IL, 1998, pp. 19-23.

3. M.O. Vincent, «The Physician's Own Well-Being», *Annals Royal College of Physicians and Surgeons of Canada 1981*, vol. 14, 4, pp. 277-281.

4. James Dobson, *Lo que las esposas desean que los maridos sepan sobre las mujeres*, Editorial Unilit, Miami, FL, 1999, p. 88.

5. Gary Smalley y John Trent, *El irresistible lenguaje del amor*, Editorial Betania, Minneapolis, MN, 1992.

6. Chuck y Barb Snyder, *Incompatibility: Still Grounds for a Great Marriage*, Multnomah Publishers, Sisters, OR, 1999.

7. Doug Fields, *Creative Romance*, Harvest House Publishers, Eugene, OR, 1991, p. 15, según se citó en James Dobson, *Respuestas Confiables*, Editorial Unilit, Miami, FL, 1997, p. 557 (del original en inglés).

8. Desmond Morris, *Intimate Behavior*, Random House, Nueva York, 1971.

9. Dobson, *Lo que las esposas desean que los maridos sepan sobre las mujeres*, parafraseado de las páginas 130, 133-142.